劉福春・李怡 主編

民國文學珍稀文獻集成

第一輯

新詩舊集影印叢編　第11冊

【郭沫若卷】

沫若詩集

上海：創造社出版部 1928 年 6 月版

郭沫若　著

花木蘭文化出版社

國家圖書館出版品預行編目資料

沫若詩集／郭沫若　著—初版—新北市：花木蘭文化出版社，
2016〔民 105〕

330 面；19 ×26 公分

（民國文學珍稀文獻集成・第一輯・新詩舊集影印叢編　第 11 冊）

ISBN：978-986-404-622-5（套書精裝）

831.8　　　　　　　　　　　　　　　　　　　105002931

ISBN-978-986-404-622-5

9 789864 046225

民國文學珍稀文獻集成・第一輯・新詩舊集影印叢編（1-50 冊）
第 11 冊

沫若詩集

著　　者	郭沫若	
主　　編	劉福春、李怡	
企　　劃	首都師範大學中國詩歌研究中心	
	北京師範大學民國歷史文化與文學研究中心	
	（臺灣）政治大學民國歷史文化與文學研究中心	
總 編 輯	杜潔祥	
副總編輯	楊嘉樂	
編　　輯	許郁翎	
出　　版	花木蘭文化出版社	
社　　長	高小娟	
聯絡地址	235　新北市中和區中安街七二號十三樓	
	電話：02-2923-1455 ／傳真：02-2923-1452	
網　　址	http://www.huamulan.tw 信箱 hml810518@gmail.com	
印　　刷	普羅文化出版廣告事業	
初　　版	2016 年 4 月	
定　　價	第一輯 1-50 冊（精裝）新台幣 120,000 元	

版權所有・請勿翻印

沫若詩集

郭沫若　著

創造社出版部（上海）一九二八年六月十日初版。原書三十二開。

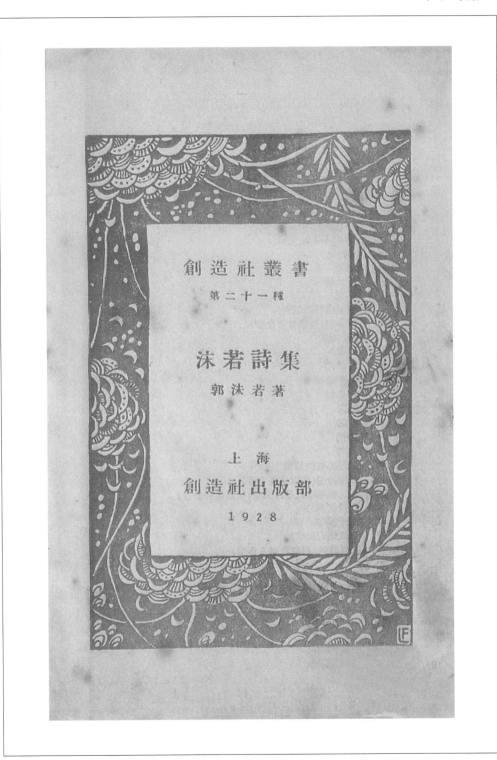

沫若詩集

1928, 4, 1, 付排
1928, 6, 10, 初版
1——3000册

版 權 所 有

每 册 實 價 大 洋 八 角

目　錄

I. 女神三部曲〔詩劇三篇〕

   1. 女神之再生　　　　　　　　　1

   2. 湘累　　　　　　　　　　　　19

   3. 棠棣之花　　　　　　　　　　35

II. 鳳凰涅槃〔詩一篇〕　　　　　　45

III. 天狗〔詩十篇〕　　　　　　　　63

   1. 天狗　　　　　　　　　　　　63

   2. 心燈　　　　　　　　　　　　65

   3. 爐中煤　　　　　　　　　　　67

   4. 日出　　　　　　　　　　　　69

   5. 晨安　　　　　　　　　　　　71

   6. 筆立山頭展望　　　　　　　　74

   7. 地球我的母親　　　　　　　　76

〔 1 〕

8. 雪朝 83

9. 立在地球邊上放號 85

10. 浴海 86

IV. 偶像崇拜〔詩九篇〕 89

1. 電火光中三首 89

2. 演奏會上 93

3. 夜步十里松原 95

4. 我是個偶像崇拜者 96

5. 新陽關三疊 97

6. 金字塔 99

7. 巨炮之教訓 101

8. 匪徒頌 107

9. 勝利的死 111

V. 星空〔詩十篇〕 117

1. 登臨 117

2. 光海 122

3. 梅花樹下醉歌 127

〔 2 〕

4. 創造者　　　　　　　129

5. 星空　　　　　　　　134

6. 洪水時代　　　　　　141

7. 伯夷這樣歌唱　　　　148

8. 月下的故鄉　　　　　157

9. 夜　　　　　　　　　158

10. 死　　　　　　　　　160

VI. 春蠶〔詩二十八駕童話劇一臺〕　161

　A. 愛神之什　　　　　161

1. Veuus　　　　　　162

2. 別離　　　　　　　163

3. 春愁　　　　　　　164

4. 司健康的女神　　　165

5. 新月與白雲　　　　166

6. 死的誘惑　　　　　167

7. 火葬物　　　　　　168

8. 搖籃　　　　　　　169

〔3〕

9. 鳴蟬 170

10. 晚步 171

B. 春戀 173

1. 春戀 174

2. 蜜桑索羅普之夜歌 176

3. 霽月 178

4. 晴朝 180

5. 岸上三首 182

6. 晨興 186

7. 春之胎動 187

8. 日暮的婚筵 189

C. Sphinx 之什 191

1. 月下的 Sphinx 192

2. 苦味之盃 194

3. 靜夜 196

4. 偶成 197

5. 南風 198

〔4〕

6. 新月   199

7. 白鷺   200

8. 雨後   201

9. 天上的市街   203

10. 新月與晴海   205

D. 廣寒宮   207

VII. 徬徨   229

A. 歸國吟   229

1. 新生   230

2. 海舟中望日出   232

3. 黃浦江邊   234

4. 上海印象   235

5. 西湖記遊十首   237

B. 徬徨之什   249

1. 黃海中的哀歌   250

2. 仰望   252

3. 江灣卽景   253

〔 5 〕

4. 吳淞堤上 255

5. 晤友 256

6. 夜別 258

7. 海上 259

8. 燈台 261

9. 拘留在檢疫所中 262

10. 歸來 263

C. Paolo之什 265

1. Paolo之歌 266

2. 冬晨 268

3. 夕蕾 269

4. 暗夜 270

5. 春潮 272

6. 新芽 273

7. 大怒 274

8. 地震 275

9. 兩個大星 277

〔G〕

10.石佛　　　　　　　　　　　279

D.淚浪之什　　　　　　　　　281

1.瞑逝　　　　　　　　　　　282

2.淚浪　　　　　　　　　　　284

3.夕陽時分　　　　　　　　　287

4.白鷗　　　　　　　　　　　289

5.哀歌　　　　　　　　　　　291

6.星影初現時　　　　　　　　294

7.白玫瑰　　　　　　　　　　295

8.自然　　　　　　　　　　　297

9.庚死的春期　　　　　　　　298

10.失巢的瓦雀　　　　　　　300

〔7〕

〔Ⅰ〕

女神三部曲

1. 女神之再生

【1】

女神之再生

Alles Vergaengliche

Ist nur ein Gleichnis;

Das Unzulaengliche

Hier wird's Ereignis;

Das Unschreibliche

Hier ist's getan;

Das Ewig-Weibliche

Zieht uns hinan.

(Goethe)

序　幕

不周之山中斷處，巉巖壁立，左右兩相對峙，儼如巫峽兩岸，形成
天然門闕。闕後現出一片海水，浩森無際，與天相接。闕前爲下

女神之再生

地，其上碧草芊綿，上多墜果。闕之兩旁石壁上有無數商穴。龕中各有裸體女像一尊，手中各持種種樂器作吹奏式。

山上奇木蓊蘢，葉如棗，花色金黃，萼如瑪瑙，花大如木蓮，有碩果形如桃而大。山頂白雲蟠蟺，與天色相含混。

上古時代。共工與顓頊爭帝之一日，晦冥。

開幕後沉默數分鐘，遠遠有喧嚷之聲起。

女神各置樂器，徐徐自壁龕走下，徐徐向四方瞭望。

女 神 之 一
自從鍊就五色彩石
曾把天孔補全，
把'黑暗'驅逐了一半
向那天球外邊，
在這優美的世界當中，

〔 3 〕

沫 若 詩 集

奏起無聲的音樂雕融。

不知道月兒圓了多少回，

照着這生命的音波吹送。

女 神 之 二

可是我們今天的音調

爲甚麼總是不能和諧？

怕在這宇宙之中，

有甚麼浩刧要再？——

聽呀！那喧嚷的聲音，

愈見高，愈見逼近！

那是海中的濤聲？空中的風聲？

可還是——罪惡的交鳴？

女 神 之 三

剛纔不是有武夫蠻伯之羣

打從這不周山下經過？

說是要去爭做甚麼元首……

哦，姊妹們呀，我們且將奈何？

〔 4 〕

女神之再生

他們鬧得真是怕人！
這五色的天球看看便要震破！
倦了的太陽只在空中睡眠，
全也不吐放些兒熾烈的光波。

女神之一
我要去創造些新的光明，
不能再在這壁龕之中做神。

女神之二
我要去創造些新的溫熱，
好同你新造的光明相結。

女神之三
新造的葡萄酒漿
不能盛在那舊了的皮囊，
我為容受你們的新熱新光，
要去創造個新鮮的太陽！

其 他 全 體
我們要去創造個新鮮的太陽，

〔5〕

沫若詩集

不能再在這壁龕之中做甚神像！

（全體向山閾後海中消逝）

山後爭帝之聲

顓頊

我本是奉天承命的人，

上天特命我來統一天下。

共工，別教死神來支配你們，

快讓我做定元首了罷！

共工

我不知道誇說甚麼上天下地，

我是隨着我的本心想做皇帝。

若有死神時，我便是死神，

老顓，快讓我來支配於你！

顓頊

古人說：天無二日，民無二王。

你為甚麼定要和我相埒！

〔6〕

女神之再生

共　工

古人說：民無二王，天無二日。

你爲甚麼定要和我爭執？

顓　頊

啊，你繞是個呀——山中的返響！

共　工

總之我要滿足我的衝動爲帝爲王！

顓　頊

你到底爲甚麼定要爲帝爲王？

共　工

你去問那太陽：爲甚麼要亮？

顓　頊

那麼，你只好和我較個短長！

共　工

那麼，你只好和我較個長短！

眾衆大呼聲

戰！戰！戰！

〔7〕

沫 若 詩 集

（喧呼殺伐聲，武器砍擊聲，血噴聲，倒聲，步武雜沓聲起）

農 叟 一 人

（荷耕具穿場而過）

我心血都已熬乾，

麥田中又見有人宣戰。

黃河之水幾時清？

人的生命幾時完？

牧 童 一 人

（率羊羣穿場而過）

啊，我不該餵了兩條鬥狗，

時常只解爭喫饅頭；

饅頭盡了喫羊頭，

我只好牽着羊兒逃走。

野 人 之 一

女神之再生

（執武器從反對方面穿場而過）

得歡樂時且樂歡，

我們要往山後去參戰。

毛頭隨着風頭倒，

兩頭利祿好均沾！

（山後聞'顓頊萬歲！皇帝萬歲！'之聲，步武雜踏聲，追呼聲：'叛逆

徒！你們想往那兒逃走？天誅便要到了！'）

共　工

（率其黨徒自山闕奔出，斷髮文身，以蕉葉散下體，體中隨處受

傷，所執銅刀石器亦各鮮血淋漓）

啊啊！可恨呀，可恨！

可恨我一敗塗地！

恨不得把那老猴的頭顱

切來做我飲器！

（舐吸武器上血液作異常憤怒之態）

這兒是北方的天柱，不周之山，

〔9〕

沫 若 詩 集

我的命根已同此山一樣中斷。

我再不能在這天地之中稱延，

我的鮮血快從傷口流乾。

黨徒們呀！我雖做不成元首，

我不肯和那老獝罷休！

你們平常仗我爲生，

我如今要用你們的生命！

　　　（黨徒們拾山下墜果而啗食）

啊啊，餓癆之神在我們肚中飢叫！

這不周山上的奇果，聽說是食之不勞。

待到宇宙全體破壞時還有須臾，

你們儘不妨把你們的皮囊裝飽。

　　　（追呼之聲愈迫）

敵人的呼聲如像海裏的怒濤，

只不過逼着這破了的難船早倒！

黨徒們呀，快把你們的頭顱借給我來！

〔10〕

女神之再生

快把這北方的天柱碰壞！碰壞！

(竝以頭顱觸山麓岩壁，雷鳴電火四起。少時發一大霹靂，山脈破裂。天蓋傾倒，黑煙一樣的物質四處噴湧，共工之徒倒死山麓)

顓 頊

(裸身披髮，狀如猩猩，率其黨徒執同樣之武器出場)

叛逆徒！你們想往那兒逃跑？

天誅快。……喂呀！喂呀！怎麼了？

山在飛砂走石，地在震搖，天在爆，

啊啊啊啊！渾沌！渾沌！怎麼了？怎麼了？……

這是亙古未聞的天變地異，

我爲甚麼要做帝王逆了天意？

我如今雖然是把共工打倒，

但我又何能够得做皇帝？

啊，共工喲，我們的罪惡眞是不小。

〔11〕

沫 若 詩 集

我們利己的鬥爭竟把人天怒惱。

這一片的血腥，一片的黑暗迷濛，

全盤的宇宙化成了可怖的囚牢。

是囚牢我還可以苟延殘生，

但這巳成了烈火環燒的一座坟壘！

我以為轉瞬之間便可以南面稱孤，

又誰知我的運命才要隨着天地分崩！

我為甚不做個單純的平民安居樂命，

就在共工的治下我也可以全身；

我如今只樂得這樣一個下場，

共工喲，我們到死纔知道睜開眼睛。

黨徒們呀，都因為你們也貪榮祿，

我們纔興起了這爭帝的干戈，

如今我們同遭了報應死亡，

〔12〕

女 神 之 再 生

我不怨恨你們，你們也沒怨恨着我……

（顓頊之徒先後倒死於山蹠·

（電電愈激愈烈，電火光中照見共工顓頊及其黨徒之屍骸狼藉地上。移時雷電漸漸弛緩，漸就止息。舞台全體盡爲黑暗所支配。沉默五分鐘）

（水中游泳之聲由遠而近）

黑暗中女性之聲

雷霆住了聲，

電火熄了光，

光明同黑暗的戰爭已經收場。

倦了的太陽

脅迫到天球以外，

天體終竟破裂了，

被驅逐的黑暗都已逃回。

〔13〕

沫 若 詩 集

那破了的天體怎麼處理?

再去鍊些五色彩石把他補起?

那樣五色的東西此後已冀中用,

我們儘他破壞不用再事彌縫。

待我們新造的太陽出來,

要照徹天內的世界,天外的世界!

天球的界限我們讓他破壞。

哦,我們腳下到處都是男性的殘骸!

這利己的男性破壞了以前的世界。

把他們抬到壁龕之中代替我們,

教他們把無聲的音樂調奏和諧。

新造的太陽,姐姐,怎麼還不出來?

她太熱烈了,怕她自行爆壞;

她還在海水之中浴沐着在!

〔14〕

女神之再生

哦,我們感受着新鮮的暖意!

我們的心臟兒,好像些鮮紅的金魚,

跳躍在水品瓶裏!

我們甚麼都想擁抱!擁抱!

我們歡迎新造的太陽呀,

我們唱歌,我們舞蹈。

合　唱

太陽雖還在遠方,

太陽雖還在遠方,

海水中早聽着晨鐘在響:

丁當,丁當,丁當,

萬千金箭射天狼,

天狼已在暗悲傷,

海水中早聽着葬鐘在響:

丁當,丁當,丁當。

〔15〕

沫 若 詩 集

儂們欲飲葡萄酖，

願祝新陽壽無疆，

海水中早聽着酒鐘在響：

丁當，丁當，丁當。

（此時舞台突然光明，只現一張白幕。舞台監督登場。）

舞 台 監 督

（向聽眾一鞠躬後）

諸君！你們在烏煙瘴氣的黑暗世界當中怕已經坐倦了罷！怕在渴慕着光明了罷！作這幕詩劇的詩人做到這兒便停了筆，他眞正逃往海外去造新的光明和新的熱力去了。諸君，你們要望新生的太陽出現嗎？還是請去自行創造宛！我們待太陽出現時再會！

（一九二〇，一二，二〇，初稿）

（一九二八，一，三〇，改削）

（註）

此劇之取材，出於左引各文中：

〔16〕

女神之再生

天地亦氣也，氣有不足，故昔者女媧氏鍊五色石以補其缺，斷鼇之足以立四極。其後共工氏與顓頊爭爲帝，怒而觸不周之山。折天柱，絕地維。故天傾西北，日月星辰就焉；地不滿東南，百川水潦歸焉。(列子湯問篇)

女媧氏古神聖女，化萬物者也。——始制笙簧。(說文)

不周之山北望諸毗之山，臨彼嶽崇之山，東望泑澤，(別名蒲昌海，)河水所潛也：其源渾渾泡泡。爰有嘉果，其實如桃，其葉如棗，黃華而赤拊，食之不勞。(山海經。西次三經)

【17】

2. 湘　　　　累

〔19〕

湘 累

女嬃之嬋媛兮，

申申其詈予。

曰，鯀婞直以亡身兮

終然殀乎羽之野。

汝何博謇而好修兮，

紛獨有此姱節？

薋菉葹以盈室兮，

判獨離而不服！

(離騷)

序 幕

洞庭湖。早秋，黄昏時分。

君山前横，上多竹林蘆荻。有銀杏數株，參差天際。時有落葉三五，

戲舞空中如金色蛺蝶。

〔20〕

湘　累

妙齡女子二人，褰脛，散髮，並坐岸邊岩石上，互相偎倚。一吹「參差」(洞簫)，一唱歌

（歌）

淚珠兒要流盡了。

愛人呀，

還不回來呀？

我們從春望到秋，

從秋望到夏，

望到水枯石爛了，

愛人呀，

回不回來呀？

棹舟之聲聞，二女跳入湖中，溶水而逝。

此時帆船一隻，自左棹出。船頭飾一龍首，帆白如雪，老翁一人，亂髮垂髫，白鬚飄灑，袒上身，在船之此側往來撐篙，口中浪作欸乃之聲。

〔21〕

沫 若 詩 集

屈原立船頭晨眺，以荷葉爲冠，玄色絹衣，玉帶，頸上掛一蓮瓣花環，長垂至臍，顏色悴憔：形容枯槁。

其姐女須扶持之。鬟髮如雲，簪以象搉。耳下垂碧玉之瑱。白衣碧裳，儼如朝鮮女人妝束。

屈　原

這兒是甚麼地方，這麼浩淼迷茫地！前面的是甚麼歌聲？可是誰人在替我招魂嗎？

女　須

噯！你橫順愛說這樣瘋癲識倒的話，你不知道你姐姐心中是怎樣悲苦！你的病，噯！難道便莫有好的希望了嗎？

老　翁

三閭大夫！這兒便是洞庭湖了。前面的便是君山。我們這兒洞庭湖裏，每到晚來，時時有妖精出現，赤條條地一絲不罣，永遠唱着同一的歌詞，吹着同一的調子。她們倒吹得好，唱得好，她們一吹，四鄉的人都要流起眼淚。她們唱倦了，吹倦了，便又跳下湖水

〔22〕

湘　累

裏面去深深藏着。出現的時候，總是兩個女身，四鄉的人都說她們是女英與娥皇，都來拜禱她們，祈禱戀愛成功的也有，祈禱生兒育女的也有，還有些痴情少年爲了她們跳水死的眞是不少呢。

屈　原

哦，我知道了。我知道她們在望我。在望我回去。唉，我要回去！我的故鄉在那兒呀？我知道你們望得我苦，我快要回來了。哦，我到底是甚麼人？三閭大夫嗎？哦，我記起來了。我本是大舜皇帝呀！從前大洪水的時候，他的父親把水治壞了，累得多死了無數的無辜百姓，所以我纔把他逐放了，把他殺了。但是我又舉了他的兒子起來，我祈禱他能夠掩蓋他父親的前愆。他倒果然能夠，他辛勤了八年，果然把洪水治平了，天下的人都讚獎他的功勞，我也讚獎他的功勞，所以我纔把帝位禪讓給了他。啊，他却是爲了甚麼？他，他爲甚麼反轉又把我逐放了呢？我曾殺過一個無辜的百姓嗎？我有甚麼罪過？啊，我流落在

〔23〕

沫 若 詩 集

這異鄉，我真好苦呀！苦呀！……喂呀，我的姐姐！你又在哭些甚麼？

女須

你橫順肯說你那樣瘋瘋顛倒的話，你不知道你姐姐的心中是怎麼地悲苦！

屈原

姐姐，你却怪不得我，你只怪得我們所處的這個溷濁的世界！我幷不曾瘋，他們偏要說我是瘋子。我們見了鳳凰要說是鷄，見了麒麟要說是驢馬，我也把他們莫可奈何。他們見了聖人要說是瘋子，他也把他們莫可奈何。他們旣不是瘋子，我又不是聖人，我也只好瘋了，瘋了，哈哈哈哈哈，瘋了！瘋了！

（歌）

"惟天地之無窮兮，

哀人生之長勤。

往者余弗及兮，

來者吾不聞，

〔24〕

湘　累

　　　吾將紐思心以爲纕兮，

　　　編愁苦以爲膺，

　　　折若木以蔽光兮，

　　　隨飄風之所仍！"

啊啊！我倦了，我厭了！這漫漫的長晝，從早起來，便把這溷濁的世界開示給我，他們隨處都叫我是瘋子，瘋子。他們要把我這美潔的遊佩扯去，要把我這高岌的危冠折毀，投些糞土來攻擊我。我所以從早起來，我的腦袋便成了一個篦頭；我的眼耳口鼻就好像一些煙囪的出口，都在冒起煙霧，飛起火星，我的耳孔裏還烘烘地只聽着火在叫；篦下掛着的一個土瓶——我的心臟——裏面的血水沸騰着好像乾了的一般，只迸得我的土瓶不住地跳跳跳。哦，太陽往那兒去了？我好容易纔盼到！我纔望見他出山，我便盼不得他早早落土，盼不得我慈悲的黑夜早來把這濁世遮開，把這外來的光明和外來的口舌通同掩去。哦，來了，來了，慈悲的黑夜漸漸走來了。

〔25〕

沫 若 詩 集

我看見她,她的頭髮就好像一天的烏雲,她有時還
帶着一頭的珠玉,那却有些多事了;她的衣裳是黑
絹做成的,和我的一樣;她帶着一身不知名的無形
的香花,把我的魂魄都香透了。她一來便緊緊地擁
抱着我,我便到了一個絕妙的境地,哦,好寥廓的境
地呀!

（歌）

"下崎嶇而無地兮,
　上寥廓而無天。
　視倏忽而不見兮,
　聽惝恍而不聞。
　超無為以至清兮,
　與泰初而為鄰。"

噯!這也不過是個夢罷了! 我周圍的世界其實何曾
改變過來! 便到晚來,我睡在牀席上又何嘗能一刻
安瘁?我怕,我睡了去又來些夢魔來苦我。他來誘我
上天,登到半途,又把梯子給我抽了。他誘我去結識

〔26〕

湘　累

些美人，可他時常使我失戀。我所以一刻也不敢閉眼，我翻來覆去，又感覺着無限的孤獨之苦。我又盼不得早到天明，好破破我深心中不可言喻的寥寂。啊，但是，我這深心中海一樣的哀愁，究竟可有破滅的一日嗎？哦，破滅！破滅！我歡迎你！我歡迎你！我如今甚麼希望也莫有，我立在破小的門前只待着死神來開門。啊啊！我，我要想到那'無'的世界裏去！

（作欲跳水勢）

女　須

（急挽勒之）

你究竟何苦呢？你這麼任性，這麼激烈，對於你的病體眞是不好呀！夏禹王的父親正像你這樣性情激烈的人，所以他終竟……

屈　原

不錯，不錯，他終竟被別人家拐騙了！他把國家弄壞了，自以爲去諂媚下子鄰國便可以保全他的位置，他終竟被敵國拐騙了去了。這正是他'愚而好自用'

〖 27 〗

— 43 —

的結果。於我有甚麼相干？他們爲甚麼又把我放逐
了呢！他們說我害了楚國，害了他的父親；皇天在
上，后土在下，這樣的寃獄，要你們縬知道呀！

女 須

你精神太錯亂了，你總要自行保重縬行。只要留得
你健康，甚麼寃枉都會有表白之一日，你何以定要
自苦呢！我知道你的心中本有無量的湧泉，想同江
河一樣自由流瀉。我知道你的心中本有無限的潛
熱，想同火山一樣任意飛騰。但是你看湘水沅水，遇
着更大的勢力揚子江，他們也不得不隱忍相讓，縬
匯成這樣個汪洋的洞庭。火山也不是時常可以噴
火，我們姐弟生長了這麼多年，幾曾見過山岳們噴
火一次呢？我想山岳們底潛熱，也怕是受了崖石的
壓制，但他們能常常地流瀉些溫泉出來。你權且讓
他們一時，你自由的意志，不用和他們在那腥穢的
政界裏馳騁，難道便莫有向別方面發展的希望了
嗎？

〔28〕

湘　累

屈　原

哦,我知道了!我知道了!我知道你要叫我把這蓮佩扯壞,你要叫我把這荷冠折毀,這我可能忍耐嗎?你怎見得我便不是揚子江 , 你怎見得我只是些湘沅小流 ? 我的力量只能匯成個小小的洞庭 , 我的力量便不能匯成個無邊的大海嗎? 你怎這麼小視我!哦,你是要叫我去做個送往迎來的娼婦嗎? 娼婦——唔,她!她!鄭袖!是她一人害了我!但是,我,我知道她的心中却是在戀慕我 , 她並且很愛誦我的詩歌。唔,那倒怕是個好法。我如做首詩去讚美她,我想她必定會叫楚王來把我召回去。不錯,我想回去呀!但是,啊!但是,那個是我所能忍耐的嗎? 我不是上天的寵兒? 我不是生下地時便特受了一種天惠? 我不是生在寅年寅月寅日的人 ? 我這麼正直通靈的人,我能忍耐得去學娼家慣技?我的詩,我的詩便是我的生命!我能把我的生命,把我至可寶貴的生命,拿來自行蹂躪,任人蹂躪嗎? 效法造化的精神,

〔29〕

沫 若 詩 集

我自由地創造,自由地表現我自己。我創造尊嚴的
山岳, 宏偉的海洋。我創造日月星辰。我馳騁風雲
雷雨。我萃之雖僅限於我的一身, 放之則可汎濫乎
宇宙。我一身難道只是些臙脂水粉的材料, 我只能
學做些臙脂水粉來,把去替兒女子們獻媚嗎?哼!你
為甚麼要小視我?我有血總要流,有火總要噴,我在
任何方面都想馳驟! 你為甚麼要叫我'呢嗇粟斯,
喔咿儒兒,如脂如韋,突梯滑稽' 以儌生全軀呢? 連
你也不能了解我,啊。我真不幸!我不想出我纔有這
樣一位姐姐!

女 須

(掩泣)

……………

屈 原

(傾聽)

哦,剛纔的歌聲又唱起來了呀!

水 中 歌 聲

〔30〕

湘　累

我們為了他——淚珠兒要流盡了。

我們為了他——一寸心兒早破碎了。

層層鎖着的九嶷山的白雲喲！

徵微波着的洞庭湖中的流水喲！

你們知不知道他？

知不知道他的所在喲！

屈　原

哦，她們在問我的所在！我站在這兒，你們怎麼不看
見呀？

水 中 歌 聲

九嶷山上的白雲有聚有消。

洞庭湖中的流水有汐有潮。

我們心中的愁雲呀，啊！

我們眼中的淚濤呀，啊！

永遠不能消！

永遠只是潮！

屈　原

〔31〕

沫 若 詩 集

哦，好悲切的歌詞！唱得我也流起淚來了。流罷！流罷！我生命的泉水呀！你一流了出來，好像把我全身的烈火都燒息了的一樣。我感覺着我少年時分，炎天烈日之中，在長江裏面泅泳着一樣的快活。你這不可思議的內在的靈泉，你又把我甦活轉來了！哦，我的姐姐！你也在哭嗎？你聽見了剛纔的那樣哀婉的歌兒嗎？

女 須
我也聽見來，怕是些漁家娘子在唱晚歌呢？

屈 原
不然，不然，我不相信人們的歌聲有那樣淚晶一樣地瑩澈。

（屈原自語時，老翁時時駐篙傾聽，舟行甚緩）

老 翁
這便是娥皇女英的哀歌了。這歌兒似乎還長，我在湖中生活了這麼一輩子，聽了不知道有多少次。我雖是不知道是些甚麼意思，但是我聽了總也不知

〔32〕

— 48 —

湘 累

不覺地要流下淚來。

屈 原

能夠流眼淚的人，總是好人。能夠使人流眼淚的詩，總是好詩。詩之感人有這麼深切，我如今纔知道詩歌的眞價了。幽婉的歌聲呀！你再唱下去罷。我把我的蓮佩通同贈你，（投蓮瓣花環入湖中）你請再唱下去罷！

水 中 歌 聲

太陽照着洞庭波，

我們魂兒戰慄不敢歌。

待到日西斜，

起看篋中咋宵淚

已經開了花！

啊，愛人呀！

淚花兒怕要開謝了，

你回不回來喲？

老 翁

〔33〕

沫 若 詩 集

喂呀!天色看看便陰了下來,我們不能再稽延了!我怕達不到目的地方,天便會黑了!我要努力撐去!我要努力撐去!……

老翁盡力撐篙,從君山右側,轉入山後。花瓣在水上飄颻。帆影已不可見。遠遠猶聞款乃之聲。

(完)

(一九二〇年一二月二七日)

〔34〕

3. 棠棣之花

〔35〕

棠 棣 之 花

人物 —— 聶政（年二十歲）

　　其姐婐（年二十二歲）

佈景——一望田疇，半皆荒蕪，閒有參秀膏靑者，遠遠有一帶淺山環繞。山脈餘勢走來左近田疇中形成一帶高地，上多白楊。白楊樹上歸鴉噪晚；樹下一墓，碑題"聶母之墓"四字，側向右。左手一條隧道，遠遠斜走而來，與墓地相通。

聶婐衏桃花一巨枝，聶政旅裝佩劍，手提一竹籃，自隧道上登場。

聶　政

（指點）

姐姐，你看這一帶田疇荒蕪到這麼個田地了！

聶　婐

（嘆息）

噯噯！今年望明年太平，明年望後年豐稔，望了將近

〔36〕

棠 棣 之 花

十年,這目前的世界成了烏鴉與亂草的世界。(指點)
你聽,那白楊樹上的歸鴉噪得煞是逆耳,好像在嘲
弄我們人類的運命一樣呢!

聶 政

人類的肝肺只供一些烏鵲加餐,人類的膏血只供
一些亂草滋榮,——亂草呀,烏鴉呀,你們究竟又能
高興得到幾時呢?

聶 嫈

(指點)

你看,那不是母親的墓碑嗎?母親死去不覺滿了三
年。死而復生的只有這些亂雜的敗葦。永逝不返的
却是我們相依爲命的慈母。我們這幾年來久飢渴
着生命的源泉了呀!

聶 政

戰爭不熄,生命的泉水只好日就消殂。這幾年來今
日合縱,明日連衡,今日征燕,明日伐楚,爭城者殺
人盈野,我不知道他們究竟爲的是甚麼。近來雖有

〔37〕

沬 若 詩 集

人高唱弭兵, 高唱非戰; 然而唱者自唱, 爭者自爭。不久之間, 連唱的人也自爭執起來。

聶 嫈

自從夏禹傳子, 天下爲家; 井田制廢, 土地私有; 已經種下了永恆爭戰的根本。根本壞了, 只在枝葉上稍事剪除, 怎麼能够濟事呢?

(此時欲圓未圓的月兒自遠山昇上。姐弟二人已步入墓場。聶政置籃墓前, 拔劍斫白楊一枝, 在墓之周圍打掃。聶嫈分桃枝爲二, 分插碑之左右。插畢, 自籃中取酒食陳布, 籃底取出洞簫一枝來)

聶 嫈

喂呀, 你把洞簫也帶來了嗎?

聶 政

唉, 我三年不吹了, 今晚想在母親墓前吹奏一囘。

聶 嫈

很好, 我也很想傾聽爾的雅奏呢。

(陳設畢, 聶嫈在墓前拜跪。聶政也來拜跪。拜跪畢, 聶嫈立倚墓旁一株白楊樹下。聶政取簫, 坐墓前碧草上)

〔38〕

棠棣之花

聶政

姐姐，月輪已昇，翠鴉已靜，茫茫天地，何等清寥呀！

聶嫈

你聽，好像有種很幽婉的哀音在這天地之間流漾。

你快請吹簫和我，我的歌詞要和眼淚一齊迸出了！

（唱，聶政吹簫和之）

別母已三年，

母去永不歸。

阿儂姐與弟，

願隨阿母來。

春桃花兩枝

分插母墓旁，

桃枝花謝時，

姐弟知何往？

不願久偷生，

【39】

沫 若 詩 集

但願轟烈死，
願將一己命，
救彼蒼生起？

蒼生久塗炭，
十室無一完。
既遭屠戮苦，
又有飢饉患。

飢饉匪自天，
屠戮咎由人：
富者餘糧肉，
強者鬥私兵。

儂欲均貧富，
儂欲茹強權，
願爲施瘟使，

〔40〕

棠棣之花

除彼害羣遍！

聶　政

姐姐，你的歌詞很帶些男性的音調，儻若母親在時，聽了定會發怒呢。

聶　嫈

母親在時，每每望我們享得人生的眞正幸福。我想此刻天下的姐妹兄弟們一個個都陷在水深火熱之中，假使我們能救得他們，便犧牲却一己的微軀，也正是人生的無上幸福。所以你今晚遠赴濮陽，我明知前途有多大的犧牲，然而我却是十分地歡送你。我想沒有犧牲，不見有愛情；沒有愛情不會有幸福的呀！

聶　政

（吹簫）

姐姐，你還請唱下去罷！

聶　嫈

（唱）

〔41〕

沫若詩集

明月何皎皎！

白楊聲蕭蕭。

阿儂姐與弟，

離別在今宵。

今宵離別後，

相會不可期，

多看姐兩眼，

多聽姐歌詞。

聶政

（汶淚）

姐姐，你怎這麼悲抑呀？

聶嫈

（唱而不答）

汪汪淚湖水

映出四輪月。

俄頃卽無疆。

〔42〕

棠棣之花

月輪永不滅！

聶　政

（同前）

姐姐，夜分已深，你請回去了罷。

聶　政

（同前）

姐願化月魂，

幽光永照弟。

何處是姐家？

將回何處去？

聶　政

（起立）

姐姐，你這麼悲抑，使我烈火一樣的雄心，好像化爲了冰冷。姐姐，我不願去了呀！

聶　嫈

（揮淚）

二弟呀，這不是你所說的話呀！我所以不免有些悲

〔43〕

沫若詩集

抑之處，不是不忍別離，只是自恨身非男子。……二弟，我也不悲抑了，你也別流淚罷！我們的眼淚切莫灑向此時，你明朝途中如遇着些災民流黎，骷髏骶骨，你請替我多多灑零些罷！我們貧民沒有金錢糧食去救濟同胞，有的只是生命和眼淚……二弟，我不久留你了，你快努力前去！莫辜負你磊落心懷，莫辜負你滿腔勗望，莫辜負天下蒼生，莫辜負嚴子知遇，你努力前去罷，我再唱曲歌兒來壯你的行色。

（唱）

去罷！二弟呀！

我望你鮮紅的血液，

迸發成自由之花，

開遍中華！

二弟呀！去罷！

（月輪突被一朵雲遮去，舞台全體暗黑如漆，只聞歌詞尾遊）

（一九二〇年九月二三日脫稿）

〔44〕

〔 II 〕

鳳 凰 涅 槃

鳳凰涅槃

一　名

菲尼克司的科美體

天方國古有神名「菲尼克司」(Phoenix,)滿五百歲後，集香木自焚，復從死灰中更生，鮮美異常，不再死。

按此烏恐卽中國所謂鳳凰：雄爲鳳，雌爲凰。孔演圖云，鳳凰火精，生丹穴。廣雅云：鳳鳴曰卽卽，雌鳴曰足足。

序　曲

除夕將近的空中，
飛來飛去的一對鳳凰，
唱着哀哀的歌聲飛去，
銜着枝枝的香木飛來，

〔45〕

沫 若 詩 集

飛來在丹穴山上，

山右有枯槁了的梧桐，

山左有消歇了的醴泉，

山前有浩茫茫的大海，

山後有陰莽莽的平原，

山上是寒風凜烈的冰天。

天色昏黃了，

香木集高了，

鳳已飛倦了，

凰已飛倦了，

他們的死期將近了。

鳳啄香木，

一星星的火點迸飛。

凰扇火星，

一縷縷的香煙上騰。

〔46〕

鳳　凰　涅　槃

鳳又啄，

凰又扇，

山上的香煙瀰散，

山上的火光瀰滿。

夜色已深了，

香木已燃了，

鳳已啄倦了，

凰已扇倦了，

他們的死期已近了！

啊啊！

哀哀的鳳凰！

鳳起舞，低昂！

凰唱歌，悲壯！

鳳又舞，

凰又唱，

〔47〕

一群的凡鳥

自天外飛來觀葬。

鳳　歌

即即！即即！即即！

即即！即即！即即！

茫茫的宇宙，冷酷如鐵！

茫茫的宇宙，黑暗如漆！

茫茫的宇宙，腥穢如血！

宇宙呀，宇宙，

你爲甚麼存在？

你自從那兒來？

你坐在那兒在？

你是個有限大的空球？

你是個無限大的整塊？

你若是有限大的空球，

〔48〕

鳳　凰　涅　槃

那擁抱着你的空間

他從那兒來?

你的外邊還有些甚麼存在?

你若是無限大的整塊?

這被你擁抱着的空間

他從那兒來?

你的當中爲甚麼又有生命存在?

你到底還是個有生命的交流?

你到底還是個無生命的機械?

　　　　　·

昂頭我問天,

天徒矜高,莫有點兒知識。

低頭我問地,

地已死了,莫有點兒呼吸。

伸頭我問海,

海正揚聲而嗚唈。

〔49〕

沫 若 詩 集

啊啊！

生在這樣個陰穢的世界當中，

便是把金剛石的寶刀也會生鏽。

宇宙呀，宇宙，

我要努力地把你詛咒：

你膿血汚穢着的屠場呀！

你悲哀充塞着的的囚牢呀！

你羣鬼叫號着的坟墓呀！

你羣魔跳梁着的地獄呀！

你到底爲甚麼存在？

我們飛向西方，

西方同是一座屠場。

我們飛向東方，

東方同是一座囚牢。

我們飛向南方，

南方同是一座坟墓。

我們飛向北方，

〔50〕

鳳　鳳　涅　槃

北方同是一座地獄。

我們生在這樣個世界當中，

只好學着海洋哀哭。

鳳　歌

足足！足足！足足！

足足！足足！足足！

五百年來的眼淚傾瀉如瀑。

五百年來的眼淚淋漓如燭。

流不盡的眼淚，

洗不淨的污濁，

澆不熄的情炎，

蕩不去的羞辱，

我們這飄渺的浮生

到底要向那兒安宿？

啊啊！

沫　若　詩　集

我們這飄沙的浮生

好像那大海裏的孤舟。

左也是瀰漫，

右也是瀰漫，

前不見燈台，

後不見海岸，

帆已破，

檣已斷，

楫已飄流，

桅已腐爛，

倦了的舟子只是在舟中呻喚，

怒了的海濤還是在海中汎濫。

啊啊！

我們這飄沙的浮生

好像這黑夜裏的酣夢。

前也是睡眠，

〔52〕

鳳凰涅槃

後也是睡眠，

來得如飄風，

去得如輕烟。

來如風，

去如烟，

眠在後，

睡在前，

我們只是這睡眠當中的

一剎那的風烟。

啊啊！

有甚麼意思？

有甚麼意思？

癡！癡！癡！

只剩些悲哀，煩惱，寂寥，衰敗，

環繞着我們活動着的死屍，

貫串着我們活動着的死屍。

〔53〕

沫 若 詩 集

啊啊！

我們年青時候的新鮮那兒去了？

我們年青時候的甘美那兒去了？

我們年青時候的光華那兒去了？

我們年青時候的歡愛那兒去了？

去了！去了！去了！

一切都已去了，

一切都要去了。

我們也要去了，

你們也要去了，

悲哀呀！煩惱呀！寂寥呀！衰敗呀！

啊啊！

火光熊熊了。

香氣蓬蓬了。

時期已到了。

〔54〕

鳳　凰　涅　槃

死期已到了。

身外的一切！

身內的一切！

一切的一切！

請了！請了！

羣　鳥　歌

岩　鷹

哈哈，鳳凰！鳳凰！

你們枉爲這禽中的靈長！

你們死了麼？你們死了麼？

從今後該我爲空界的霸王！

孔　雀

鳳凰，鳳凰！鳳凰！

你們枉爲這禽中的靈長！

你們死了麼？你們死了麼？

從今後請看我花翎上的威光！

〔 55 〕

沫 若 詩 集

鴟 梟

哈哈,鳳凰!鳳凰!

你們枉爲這禽中的靈長!

你們死了麽?你們死了麽?

哦!是那兒來的鼠肉馨香?

宋 鶡

哈哈,鳳凰!鳳凰!

你們枉爲這禽中的靈長!

你們死了麽?你們死了麽?

從今後請看我們馴良百姓的安康!

鸚 鵡

哈哈,鳳凰!鳳凰!

你們枉爲這禽中的靈長!

你們死了麽?你們死了麽?

從今後請聽我們雄辯家的主張!

白 鶴

哈哈,鳳凰!鳳凰!

〔56〕

鳳　鳳　涅　槃

你們枉爲這禽中的靈長！

你們死了麼？你們死了麼？

從今後請看我們高蹈派的徜徉！

鳳凰更生歌

鷄　鳴

昕潮漲了，

昕潮漲了，

死了的光明更生了。

春潮漲了，

春潮漲了，

死了的宇宙更生了。

生潮漲了，

生潮漲了，

死了的鳳凰更生了。

〔57〕

沫 若 詩 集

鳳 凰 和 鳴

我們更生了。

我們更生了。

一切的一，更生了。

一的一切，更生了。

我們便是'他'，他們便是我。

我中也有你，你中也有我。

我便是你。

你便是我。

火便是鳳。

鳳便是火。

翱翔！翱翔！

歡唱！歡唱！

我們光明，我們新鮮，

我們華美，我們芬芳，

一切的一，芬芳。

〔58〕

鳳　凰　涅　槃

一的一切，芬芳。

芬芳便是你，芬芳便是我。

芬芳便是'他，'芬芳便是火。

　　火便是你。

　　火便是我。

　　火便是'他'。

　　火便是火。

　　翺翔！翺翔！

　　歡唱！歡唱！

我們熱誠，我們摯愛，

我們歡樂，我們和諧。

一切的一，和諧。

一的一切，和諧。

和諧便是你，和諧便是我。

和諧便是'他'，和諧便是火。

　　火便是你。

〔59〕

沫 若 詩 集

火便是我。

火便是'他'。

火便是火。

翺翔！翺翔！

歡唱！歡唱！

我們生動，我們自由，

我們雄渾，我們悠久。

一切的一，悠久。

一的一切，悠久。

悠久便是你，悠久便是我。

悠久便是'他'，悠久便是火。

火便是你。

火便是我。

火便是'他'。

火便是火。

翺翔！翺翔！

〔60〕

鳳　凰　涅　槃

歡唱！歡唱！

我們歡唱，我們翱翔，

我們翱翔，我們歡唱。

一切的一，常在歡唱。

一的一切，常在歡唱。

是你在歡唱？是我在歡唱？

是‘他’在歡唱？是火在歡唱？

　　歡唱在歡唱！

　　歡唱在歡唱！

　　只有歡唱！

　　只有歡唱！

　　歡唱！

　　　歡唱

　　歡　唱

　　（一九二〇，一，二〇初稿）

　　（一九二八，一，三，改訂）

　　〔61〕

〔III〕

天　狗

天　狗

我是一條天狗！

我把月來吞了，

我把日來吞了，

我把一切的星球來吞了，

我把全宇宙來吞了。

我便是我了！

我是月的光，

我是日的光，

我是一切星球的光，

我是X光線的光，

我是全宇宙的Energy的總量！

我飛奔，我狂叫，我燃燒。

〔63〕

沫 若 詩 集

我如烈火一樣地燃燒！

我如大海一樣地狂叫！

我如電氣一樣地飛跑！

我飛跑，我飛跑，我飛跑，

我剝我的皮，

我食我的肉，

我嚼我的血，

我齧我的心肝，

我在我神經上飛跑，

我在我脊髓上飛跑，

我在我腦經上飛跑。

我便是我呀！

我的我要爆了！

（一九二〇年二月初間作）

〔64〕

心　燈

連日不住的狂風，

吹滅了空中的太陽，

吹熄了胸中的燈亮。

炭坑中的炭塊呀，淒涼！

空中的太陽，胸中的燈亮，

同是一座公司的電燈一樣：

太陽萬燭光，我是五燭光，

燭光雖有多少，亮時同時亮，

放學回來我睡在這海岸邊的草場上，

海碧天靑，浮雲燦爛，衰草金黃，

是潮裏的聲音？是草裏的聲音？

一聲聲道：快向光明處伸長！

〔65〕

沫 若 詩 集

有幾個小巧的紙鳶正在空中飛放，

紙鳶們也好像歡喜太陽：

一個個爭先恐後，恐後爭先，

不斷地努力，飛颺，向上。

更有隻雄壯的飛鷹在我頭上飛航，

他閃閃翅兒，又停停槳，

他從光明中飛來，又向光明中飛往，

我想到我心地裏翱翔着的鳳凰。

（一九二〇年二月初間作）

〔66〕

爐中煤

——眷念祖國的情緒——

啊,我年青的女郎!

我不辜負你的殷勤,

你也不要辜負了我的思量。

我為我心愛的人兒

燃到了這般模樣!

啊,我年青的女郎!

你該知道了我的前身?

你該不嫌我黑奴鹵莽?

要我這黑奴的胸中,

纔有火一樣的心腸。

啊,我年青的女郎!

〔67〕

沫 若 詩 集

我想我的前身

原本是有用的棟樑，

我活埋在地底多年，

到今朝纔得重見天光。

啊，我年青的女郎！

我自從重見天光，

我常常思念我的故鄉，

我爲我心愛的人兒

燃到了這般模樣！

（一九二〇年一二月間作）

〔68〕

日　出

哦哦,環天都是火雲!

好像是赤的游龍,赤的獅子,赤的鯨魚,赤的象,赤
　　的犀。

你們可都是亞坡羅(Apollo)的前驅?

哦哦,摩托車前的明燈!

二十世紀的亞坡羅!

你也改乘了摩托車麼?

我想做個你的運轉手,你肯雇我麼?

哦哦,光的雄勁!

瑪瑙一樣的晨鳥在我眼前飛紛。

明與暗刀切斷了一樣地分明!

明的是浮雲,暗的也是浮雲,

〔69〕

沫 若 詩 集

同是一樣的浮雲，爲甚麼有暗有明？

我守看着那一切的暗雲⋯⋯

被亞坡羅的雄光驅除盡！

我纔知四野的鷄聲別有一段的意味清泚！

　　　　　　　（一九二〇年三月作間？）

〔70〕

晨　安

晨安！常動不息的大海呀！

晨安！明迷恍惚的旭光呀！

晨安！詩一樣湧着的白雲呀！

晨安！平勻明直的絲雨呀！詩語呀！

晨安！情熱一樣燃着的海山呀！

晨安！梳人靈魂的晨風呀！

晨風呀！你請把我的聲音傳到四方去罷！

晨安！我年青的祖國呀！

晨安！我新生的同胞呀！

晨安！我浩蕩蕩的南方的揚子江呀！

晨安！我凍結着的北方的黃河呀！

黃河呀！我望你胸中的冰塊早早融化呀！

晨安！萬里長城呀！

〔71〕

沫 若 詩 集

啊啊!雪的曠野呀!

啊啊!我所畏敬的俄羅斯呀!

晨安!我所畏敬的Pioneer呀!

晨安!雪的帕米爾呀!

晨安!雪的喜瑪拉雅呀!

晨安Beugal的泰戈爾翁(Tagore)呀!

晨安!自然學園裏的學友們呀!

晨安!恆河呀!恆河裏面流瀉着的靈光呀!

晨安!印度洋呀!紅海呀!蘇彝士的運河呀!

晨安!尼羅河畔的金字塔呀!

啊啊!你在一個炸彈上飛行着的 D' Annunzio 呀!

晨安!你坐在Pantheon前面的'沈思者'呀!

晨安!半工半讀團的學友們呀!

晨安!比利時呀!比利時的遺民呀!

晨安!愛爾蘭呀!愛爾蘭的詩人呀!

啊啊!大西洋呀!

〔72〕

晨　安

晨安!大西洋呀!

晨安!大西洋畔的新大陸呀!

晨安!華盛頓的墓呀!林肯的墓呀!恢鐵莽 （Whit-
　　man)的墓呀!

啊啊! 恢鐵莽呀! 恢鐵莽呀! 太平洋一樣的恢鐵莽
　　呀!

啊啊!太平洋呀!

晨安!太平洋呀!太平洋上的諸島呀!太平洋上的扶
　　桑呀!

扶桑呀,扶桑呀!還在夢裏褢着的扶桑呀!

醒呀!Mesame呀!

快來享受這千載一時的晨安。

　　　　　　　（一九二〇年一月間作）

筆立山頭展望

筆立山在日本門司市西。登山一望,海陸船塢,瞭如指掌。

大都會的脈膊喲!

生的鼓動喲!

打着在,吹着在,叫着在,…

噴着在,飛着在,跳着在,…

四面的天郊煙幕蒙籠了!

我的心臟呀快要跳出口來了!

哦哦,山岳的波濤,瓦屋的波濤,

湧着在,湧着在,湧着在,湧着在呀!

萬籟共鳴的Symphony,

自然與人生的婚禮呀!

彎彎的海岸好像Cupid的弓弩呀!

人的生命便是箭,正在海上放射呀!

〔74〕

霉立山頭展望

黑沉沉的海灣,停泊着的輪船,進行着的輪船,數不
　　盡的輪船,

一枝枝的煙筒都開着了朵黑色的牡丹呀!

哦哦,二十世紀的名花!

近代文明的嚴母呀!

(一九二〇年六月間作)

【75】

地球,我的母親!

地球!我的母親!

天已黎明了,

你把你懷中的兒來搖醒,

我現在正在你背上匍行。

地球!我的母親!

你背負着我在這樂園中逍遙,

你還在那海洋裏面

奏出些音樂來,安慰我的靈魂。

地球!我的母親!

我過去,現在,未來,

食的是你,衣的是你,住的是你,

我要怎麼樣纔能夠報答你的深恩?

〔76〕

地 球 我 的 母 親

地球！我的母親！

從今後我不願常在家中居住，

我要常在這開曠的空氣裏面，

對於你，表示我的孝心。

地球！我的母親！

我羨慕的是你的孝子，那田地裏的農人，

他們是全人類的褓母，

你是時常地愛撫他們。

地球！我的母親！

我羨慕的是你的寵子，那炭坑裏的工人。

他們是全人類的 Prometheus，

你是時常地懷抱着他們。

地球！我的母親！

沫 若 詩 集

我想除了這農工而外，

一切的人都是你不肖的兒孫，

我也是你不肖的兒孫。

地球！我的母親！

我羨慕那一切的草木，我的同胞，你的兒孫，

他們自由地，自主地，隨分地，健康地，

享受着他們的賦生。

地球！我的母親！

我羨慕那一切的動物，尤其是蚯蚓——

我只不羨慕那空中的飛鳥：

他們離了你要在空中飛行。

地球！我的母親！

我不願在空中飛行，

我也不願坐車，乘馬，着襪，穿鞋。

〔78〕

地球我的母親

我只願赤裸着我的雙脚，永遠和你相親。

地球！我的母親！

你是我實有性的證人，

我不相信你只是個夢幻泡影，

我不相信我只是個妄執無明。

地球！我的母親！

我們都是空桑中生出的伊尹，

我不相信那縹緲的天上，

還有位甚麼父親。

地球！我的母親！

我想宇宙中一切現象都是你的化身，

雷霆是你呼吸的聲威，

雪雨是你血液的飛騰。

〔79〕

沫 若 詩 集

地球！我的母親！

我想那縹緲的天球，是你化妝的明鏡，

那晝間的太陽，夜間的太陰，

只不過是那明鏡中的你自己的虛影。

地球！我的母親！

我想那天空中一切的星球

只不過是我們生物的眼球的虛影；

我只相信你是實有性的證明。

地球！我的母親！

已往的我，只是個知識未開的嬰孩，

我只知道貪受着你的深恩，

我不知道你的深恩，不知道報答你的深恩。

地球！我的母親！

從今後我知道你的深恩，

〔80〕

地球我的母親

我飲一杯水，
我知道那是你的乳，我的生命藜，

地球！我的母親！
我聽着一切的聲音言笑，
我知道那是你的歌，
特爲安慰我的靈魂。

地球！我的母親！
我眼前一切的浮游生動，
我知道那是你的舞，
特爲安慰我的靈魂。

地球！我的母親！
我感覺着一切的芬芳朶色，
我知道那是你給我的贈品，
特爲安慰我的靈魂。

〔81〕

沫 若 詩 集

地球！我的母親！
我的靈魂便是你的靈魂，
我要強健我的靈魂，
來報答你的深恩。

地球！我的母親！
從今後我要報答你的深恩，
我知道你愛我你還要勞我，
我要學着你勞動，永久不停！

（一九一九年十二月末作）

〔82〕

雪　朝

——讀Carlyle：the Hero as Poet 的時候——

雪的波濤！

一個白銀的宇宙！

我全身心好像要化爲了光明流去。

Open-secret喲！

樓頭的簷霤……

那可不是我全身的血液？

我全身的血液點滴出 Rhythmical 的幽音

同那海濤相和，松濤相和，雪濤相和。

哦哦！大自然的雄渾喲！

大自然的Symphony喲！

Hero-poet喲！

〔'83〕

沫 若 詩 集

Proletarian poet喲！

（一九一九年十二月作）

立在地球邊上放號

無數的白雲正在空中怒湧,

啊啊!好幅壯麗的北冰洋的晴景喲!

無限的太平洋提起他全身的力量來要把地球推

　　倒。

啊啊!我眼前來了的滾滾的洪濤喲!

啊啊!不斷的毀壞,不斷的創造,不斷的努力喲!

啊啊!力喲!力喲!

力的繪畫,力的舞蹈,力的音樂,力的詩歌,力的

　　Rhythm喲!

　　　　　　　　　　(一九一九年九十月間作)

〔85〕

浴　海

太陽當頂了！

無限的太平洋鼓奏着男性的音調！

萬象森羅——一個圓形舞蹈！

我在這舞蹈場中戲弄波濤！

我的血同海浪潮，

我的心同日火燒，

我有生以來的塵垢粃糠

早已全盤洗掉！

我如今變了個脫了壳的蟬蟲，

正在這烈日光中放聲叫：

太陽的光威

要把這全宇宙來熔化了！

弟兄們！快快！

〔86〕

浴　　海

快也來戲弄波濤！

趁着我們的血浪還在潮，

趁着我們的心火還在燒，

快把那陳腐了的舊皮囊

全盤洗掉！

新社會的創造

全賴吾曹！

（一九一九年九月間作）

〔 IV 〕

偶　像　崇　拜

電火光中

I. 懷古—Baikal湖畔之蘇子卿

電燈已着了光，

我的心兒却怎這麼幽暗？

我一人在市中徐行，

想到了蘇子卿在貝加爾湖湖畔。

我想像他披着一件白羊裘，

氈巾覆首，氈履，氈裳，

獨立在蒼茫無際的西比利亞荒原當中，

背後有雪潮一樣的羣羊。

我想像他在個孟春的黃昏時分，

待要歸返穹廬，

背景中貝加爾湖上的冰濤，

與天際的白雲波連山豎。

我想像他向着東行，

〔89〕

遙遙地正望南翹首；

眼眸中含蓄着無限的悲哀，

又好像燃着希望一縷。

2. 觀畫--Millet的'牧羊少女'

電燈已着了光，

我的心兒却怎這麼幽暗？

我想像着蘇子卿的鄉思，

我步進了街頭的一家畫館。

我賞玩了一回四林湖畔的風光，

我又在加里弗尼亞州觀望瀑布——

哦，好一幅理想的畫圖！理想以上的畫圖！

畫中的人！你可不便是胡婦麼胡婦？——

一個野花爛熳的碧綠的大平原，

在我的面前展放。

平原中立着一個持杖的女人，

背後也湧着了一羣歸羊。

〔90〕

電 火 光 中

那怕是蘇武歸國後的風光，

他的棄妻，他的羣羊無恙；

可邢牧羊女人的眼中，眼中，

那含蓄的是悲憤？怨望？淒涼？

3. 讚像—Beethoven的肖像

電燈已着了光，

我的心兒却怎這麼幽暗？

我望着那彌需的畫圖，

我又在 Cosmos Pictures 中尋檢。

聖母，耶穌的頭，抱破瓶的少女……

在我面前翩舞。

哦，悲多汶！悲多汶！

你解除了我無名的愁苦。

你蓬蓬的亂髮如像奔流的海濤，

你高張的白領 如像戴雪的山椒。

你如獅的額，如虎的眼，

〔91〕

沫 若 詩 集

你還如像"大宇宙意志"自身的頭腦！

你右手持着鉛筆，左手持着譜稿，

你那筆尖頭上正在傾瀉怒潮。

悲多汶喲，你可在傾聽甚麽？

我好像聽着你的Symphonie了！

（一九一九年年末初稿）

（二八年二月一日修改）

〔92〕

演奏會上

Violin同Piano的結婚，

Mendelssohn 的'仲夏夜的幽夢'都巳過了。

一個男性的女青年

獨唱着 Brahms 的'永遠的愛'，

她那Soprano的高音，

唱得我全身的神經戰慄。

一千多聽衆的靈魂都巳合體了，

啊，沉雄的和雕，神祕的淵默，浩蕩的愛海喲！

狂濤似的掌聲把靈魂的合歡驚破了，

啊，靈魂解體的悲哀喲！

(註)

波拉牟士 Johanes Brahms(1833 ——1897)與瓦格納 W. R. Wagner(1813——1883) 齊名，同爲十九世紀後半德國樂壇之兩大明星。兩人均擅長文藝。波氏生平作曲在百五十品以上，曲

〔93〕

沫 若 詩 集

品以理智勝，而偉麗的感情復洋溢於其中，歌詞多取材於傳說與情話。其頌美戀愛之惆悵，三昧，可稱古今獨步云。

"'永遠的愛''——Von ewiger Liebe。

門德爾時主 Felix Mendelssohn-Bartholdy (1809——1847) 也是德國的音樂名家。其曲品典雅而富詩趣云。

'仲夏夜的幽夢'('Mid-summer Night's Dream)本諸莎士比。其序曲一関，乃門氏十七歲時(一八二六年八月六日)所作。

〖94〗

夜步十里松原

海已安眠了。

遠望去，只見得白茫茫一片幽光，

聽不出絲毫的濤聲波語。

哦，太空！怎麼那樣地高超，自由，雄渾，清寥！

無數的明星正圓睜着他們的眼兒，

在眺望這美麗的夜景。

十里松原中無數的古松，

都高擎着他們的手兒沉默着在讚美天宇。

他們一枝枝的手兒在空中戰慄，

我的一枝枝的神經織維在身中戰慄。

〔95〕

我是個偶像崇拜者

我是個偶像崇拜者喲!

我崇拜太陽,崇拜山嶽,崇拜海洋;

我崇拜水,崇拜火,崇拜火山,崇拜偉大的江河;

我崇拜生,崇拜死,崇拜光明,崇拜黑夜;

我崇拜蘇彝士,巴拿馬,萬里長城,金字塔;

我崇拜創造的精神,崇拜力,崇拜血,崇拜心臟;

我崇拜炸彈,崇拜悲哀,崇拜破壞;

我崇拜偶像破壞者,崇拜我!

我又是個偶像破壞者喲!

(一九二○年五六月間作)

〔96〕

新陽關三叠

（一）

我獨自一人，坐在這海岸邊的石樑上，

我要歡送那將要西渡的初夏的太陽。

汪洋的海水在我脚下舞蹈，

高伸出無數的臂腕待把太陽擁抱。

他，太陽，披着件金光燦爛的雲衣，

要去拜訪那西方的同胞兄弟。

他眼光耿耿，不轉睛地，緊覷着我，

你要叫我跟你同路去麽？太陽喲！

（二）

我獨自一人，坐在這海岸邊的石樑上，

我在歡送那正要西渡的初夏的太陽。

遠遠的海天之交湧起薔薇花色的紫霞，

〔97〕

沫 若 詩 集

中有黑霧如烟，勞勞是戰爭的圖畫。

太陽喲！你便是顆熱烈的炸彈喲！

我要看你'自我'的爆裂，開出血紅的花朵。

你眼光耿耿，不轉睛地，緊覰着我，

我也想跟你同路去喲！太陽喲！

（三）

我獨自一人，坐在這海岸邊的石樑上，

我已歡送那已經西渡的初夏的太陽。

我回過頭來，四下地觀望天宇，

西北南東到處都張掛着鮮紅的雲旗。

汪洋的海水全盤都已染紅了！

Bacchus的神在我面前舞蹈！

你眼光耿耿，可還不轉睛地緊覰着我？

我恨不能跟你同路去喲！太陽喲！

（一九二〇年四五月間作）

〔98〕

金 字 塔

其 一

一個,兩個,三個,三個金字塔的尖端

排列在尼羅河畔——是否是尼羅河畔?——

一個高,一個低,一個最低,

塔下的河岸刀薇斷了一樣地坦齊,

哦,河中流瀉着的漣漪喲!塔後汹湧着的雲霞喲!

雲霞中隱約地一圈白光,恐怕是將要西下的太陽。

太陽遊歷了地球東半,又要去遊歷地球西半,

地球上的天工人美怕全盤都已被你看完!

否,否,不然!是地球在自轉,公轉,

就好像一個跳舞着的女郎將就你看。

太陽喲!太陽的象徵喲!金字塔喲!

我恨不能飛隨你去喲!飛向你去喲!

〔99〕

沫 若 詩 集

其 二

左右翳鬱着兩列森林，

中間流瀉着一個反寫的'之'字，

流向那晚霞重疊的金字塔底。

偉大的寂寥喲，死的沉默喲，

我凝視着，傾聽着……

三個金字塔的尖端

好像同時有宏朗的聲音在吐：

'創造喲！創造喲！努力創造喲！

人們創造力的權威可與神祇比伍！

不信請看我，看我這雄偉的巨製罷！

便是天上的太陽也在向我低頭呀！'

哦哦，淵默的雷聲！我感謝你現身的說教！

我心海中的情濤也已流成了個河流流向你了！

森林中流瀉着的之江可不是我麼？

（一九二〇年六七月間作）

〔100〕

巨砲之教訓

博多灣的岸上，
十里松原的林邊，
有兩尊俄羅斯的巨砲，
幽囚在這日本已十有餘年，
正對着西比利亞的天郊，
比着肩兒遙遙望遠。

我戴着春日的和光，
來在他們的面前，
橫陳在碧蔭深處，
低着聲兒向着他們談天。

"幽囚着的朋友們呀，
你們真是可憐「

〔101〕

沫 若 詩 集

你們的眼兒恐怕已經望穿？

你們的心中恐怕還有烟火在燃？

你們怨不怨恨尼古拉斯？

懺不懺悔窮兵黷戰？

思不思念故鄉？

想不想望歸返？"

"幽囚着的朋友們呀，

你們爲甚麼都把面皮紅着？

你們還是羞？

你們還是怒？

你們的故鄉早已改換了從前的故步。

你們往日的寃家，

却又闖進了你們的門庭大肆屠痛，

可憐你們西比利亞的同胞

於今正血流標杵。

………………………"

〔102〕

巨砲之教訓

我對着他們的話兒還未道全，

清涼的海風吹來了些睡眠，

輕輕地吻着我的眉尖。

我剛纔垂下眼簾，

有兩個奇異的人形前來相見：

一個好像托爾斯泰，

一個好像列寧，

一個漲着無限的悲哀，

一個凝着堅毅的決心。

"托爾斯泰呀,哦！

你在這光天化日之中，

可有甚麼好話教我?"

"年輕的朋友呀,你可好?

我愛你是中國人。

我愛你們中國的墨與老。

〔103〕

沫 若 詩 集

他們一個教人兼愛,節用,非爭;

一個倡道慈,儉,不敢先的三寶。

一個尊'天',一個講'道'。

據我想來,天便是道!"

"哦,你的意見眞是好!"

"我還想全世界便是我們的家庭,

全人類都是我們的同胞。

我主張樸素,慈愛的生涯;

我主張克己,無抗的信條。

也不要法庭,

也不要囚牢,

也不要軍人,

也不要外交。

一切的人能如農民一樣最好!"

"哦,你的意見眞是好!"

〔104〕

巨砲之教訓

"唉！我可憐這島邦的國民，

眼見太小！

他們只知道譯讀我的糟糠，

不知道率循我的大道。

他們就好像一羣猩猩，

只好學着人的聲音叫叫！

他們就好像一羣瘋了的狗兒，

垂着涎，張着嘴，

到處逢人亂咬！"

"同胞！同胞！同胞！"

列甯先生却只在一旁酣叫，

"爲階級消滅而戰喲！

爲民族解放而戰喲！

爲社會改造而戰喲！

至高的理想只在農勞！

最終的勝利總在吾曹！

(105)

沫 若 詩 集

同胞！同胞！同胞！……”

他這霹靂的幾聲，

把我從夢中驚醒了。

（一九二〇年四月初間作）

〔106〕

匪 徒 頌

匪徒有眞有假。

莊子胠篋篇裏說：‘故盜跖之徒問於跖曰：盜亦有道乎？跖曰：何
適而無有道耶？夫妄意室中之藏聖也，入先勇也，出後義也，知可
否智也，分均仁也，五者不備而能成大盜者，天下未之有也。’
像這樣身行五搶六奪，口談忠孝節義的匪徒是假的。照實說來，
他們實在是軍神武聖的標本。

物各從其類，這樣的假匪徒早有我國的軍神武聖們和外國的軍神
武聖們讚美了。小區區非聖非神，一介‘學匪’，只好將古今中外
的眞正的匪徒們來讚美一番罷。

（一）

反抗王政的罪魁，敢行稱亂的克倫威爾呀！
私行割據的草寇，抗糧拒稅的華盛頓呀！
圖謀恢復的頑民，死有餘辜的黎塞爾呀！
西北南東去來今，

〔107〕

一切政治革命的匪徒們呀！

萬歲！萬歲！萬歲！

（二）

發現階級鬥爭的謬論，窮而無賴的馬克斯呀！

不能克紹箕裘，甘心附逆的恩格爾斯呀！

亙古的大盜，實行共產主義的列寧呀！

西北南東去來今，

一切社會革命的匪徒們呀！

萬歲！萬歲！萬歲！

（三）

反抗婆羅門的妙諦，倡導涅槃邪說的釋迦牟尼呀！

兼愛無父，禽獸一樣的墨家鉅子呀！

反抗法王的天啓，開創邪宗的馬丁路德呀！

西北南東去來今，

一切宗教革命的匪徒們呀！

〔108〕

匪 徒 頌

萬歲！萬歲！萬歲！

（四）

倡導太陽系統的妖魔，離經畔道的哥柏黎呀！

倡導人猿同祖的畜生，毀宗謗祖的達爾文呀！

倡導超人哲學的瘋癲，欺神滅像的尼采呀！

西北南東去來今，

　　　　一切學說革命的匪徒們呀！

　　　　萬歲！萬歲！萬歲！

（五）

反抗古典三昧的藝風，醜態百出的羅丹呀！

反抗王道堂皇的詩風，饕餮粗笨的恢鐵莽呀！

反抗貴族神聖的文風，不得善終的托爾斯泰呀！

西北南東去來今，

　　　　一切文藝革命的匪徒們呀！

　　　　萬歲！萬歲！萬歲！

〔109〕

沫 若 詩 集

（六）

不安本分的野蠻人，教人'返自然'的盧俊呀！

不修邊幅的無賴漢，擗與惡疾兒靈共寢的丕時大

　　羅啓呀！

不受約束的亡國奴，私建自然學園的泰戈爾呀！

西北南東去來今，

　　　　一切教育革命的匪徒們呀！

　　　　萬歲！萬歲！萬歲！

　　　　　　　　（一九一九年年末作）

〔110〕

勝 利 的 死

——愛爾蘭獨立軍領袖，新芬黨員馬克司威尼，自八月中旬爲英
政府所逮捕以來，幽囚於剝里克士通監獄中，耻不食英粟者七十
有三日，終以一千九百二十年十月二十五日死於獄——

其 一

Oh! once again to Freedom's course return

The Patriot Tell——the Bruce of Bannockburn!

哦哦！這是張'眼淚之海'的寫眞呀！

森嚴陰森的大廈——可是監獄的門前？可是禮拜
　　　堂的外面？

一羣不可數盡的兒童正在跪着祈禱呀！

'愛爾蘭獨立軍的領袖，馬克司威尼，

投在英格蘭，剝里克士通監獄中已經五十餘日了，

入獄以來耻不食英粟；

愛爾蘭的兒童——跪在大廈前面的兒童——

〔111〕

沫 若 詩 集

感謝他愛國的至誠，

正在為他請求加護，祈禱。'

可敬的馬克司威尼氏呀！

可愛的愛爾蘭的兒童呀！

自由之神終會要加護你們，

因為你們能自相加護，

因為你們是自由神的化身故！

(十月十三日)

其 二

Hope, for a season, bade the world farewell,

And Freedom shrieked——as Kascinsko fell!

愛爾蘭的志士！馬克司威尼！

今天是十月二十二日了！(我壁上的 Calendar 永不

曾引我如此注意)

你囚在剝里克士通監獄中可還活着在麼？

〔112〕

勝利的死

十月十七日倫敦發來的電信

說你斷食以來已經六十六日了，

然而容態依然良好；

說你十七日的午後還和你的親人對談了須臾；

說你身體雖日漸衰頹，

然而你的神彩比從前更加光輝。

然而今天是十月二十二日了！

愛爾蘭的志士！馬克司威尼呀！

此時此刻的有機物彙當中可還有你的生命存在
　　麼？

十月十七日你的故鄉——可爾克市——發來的電
　　信

說是你的同志新芬黨員之一人，匪持謝樂德，

囚在可爾克市監獄中斷食已來已六十有八日，

終以十七日之黃昏溘然長逝了。

——啊！有史以來罕曾有的哀烈的慘死呀！

愛爾蘭的首陽山！愛爾蘭的伯夷，叔齊喲！

〔113〕

沫 若 詩 集

我怕讀得今日以後再來的電信了！

（十月二十二日）

其 三

Oh sacred Truth! thy triumph ceased a while,

And Hope, thy sister, ceased with thee to smile.

十月二十一日倫敦發來的電信又到了！

說是馬克司威尼已經昏死了去三回了！

說是他的妹子向他的友人打了個電報：

望可爾克的市民早爲她的哥哥祈禱，

祈禱他早一刻死亡，少一刻痛傷！

不忍卒讀的傷心人語喲！讀了這句話的人有沒有
　　不流眼淚的麼？

猛獸一樣的殺人政府呀！你總要在世界史中添出
　　一個永遠不能磨滅的污點？

冷酷如鐵的英人們呀！你們的血管之中早沒有By-
　　ron, Campbell 的血液循環了麼？

〔114〕

勝　利　的　死

你暗淡無光的月輪喲！我希望我們這陰莽莽的地
球，就在這一刹那間，早早同你一樣冰化！

（十月二十四日）

其　四

Truth shall restore the light by Nature given,

Anl, like Prometheus, bring the fire of Heaven!

汪洋的大海正在唱着他悲壯的哀歌，

穹藍無際的靑天已經哭紅了他的臉面

遠遠的西方，太陽沉沒了！——

悲壯的死喲！金光燦爛的死喲！凱旋同等的死喲！勝
　　利的死喲！

慈愛無私的死神！我感謝你喲！你把我敬愛無暨的
　　馬克司威尼早早救了！

自由的戰士，馬克司威尼，你表示出我們人類意志
　　的權威如此偉大！

我感謝你呀！讚美你呀！'自由'從此不死了！

〔115〕

沫 若 詩 集

夜幕閉了後的月輪喲！何等光明呀！……

（十月二十七日）

（詩後）

這四節詩是我數日間熱淚的結晶體。各節弁首的詩句都是從康沫Campbell二十二歲時，所作'哀波蘭' The Downfall of Poland 一詩引出。此詩余以爲可與拜倫'哀希臘'一詩並譽。拜倫助希臘獨立，不得志而病死；康沫亦嘗捐納資金以惄助波蘭，兩詩人義俠之氣亦差堪伯仲。如今希臘波蘭均已更生，而拜倫康沫均已逝世；然而西方有第二之波蘭，東方有第二之希臘，我希望拜倫康沫之精神Once again to Freedom's course return!

〔116〕

〔Ⅴ〕

星　空

登 臨

一 名

獨遊太宰府

終久怕下雨罷，

我快登上山去！

山路兒淋漓

把我引到了山牛的廟宇，

聽說是梅花的名勝地。

哦，死水一池，

幾匹游鱗

喁喁地向我私語：

'陽春還沒有信來，

梅花還沒有開意，'

〔117〕

廟中的銅馬

還帶着夜來的清露。

馴鴿兒聲聲叫苦。

馴鴿兒！你們也有甚麼苦楚？

口簫兒吹着，

山泉兒流着，

我在山路兒上行着，

我要登上山去。

我快登上山去！

山頂上別有一重天地！

血潮兒沸騰起來了，

山路兒登上一半了。

山路兒淋漓

粘蛻了我脚上的木屐。

〔118〕

登　臨

泥上留個腳印，
腳上印着黃泥。

腳上的黃泥！
你請還我些兒自由，
讓我登上山去。
我們雖是暫時分手，
我的形骸兒終久是歸你有。

唉，泥上的腳印！
你好像是我靈魂兒的象徵。
你自陷入泥塗，
你自會受人踩躪。
唉，我的靈魂，
你快登上山頂！

口簫兒吹着，

〔119〕

沫 若 詩 集

山泉兒流着，

伐木的聲音丁丁着。

山上的人家早有雞聲鳴着。

這不是個 Orchestra 麼？

司樂的人！你在那兒藏着？

啊啊！

四山都是白雲，

四面都是山嶺，

山嶺原來登不盡。

前山脚下，有兩個行人，

好像是一男一女，

好像是兄和妹。

男的背着一捆柴

女的抱的是甚麼？

男的在路旁休息着，

女的在兄旁站立着。

〔120〕

登　臨

哦,好一幅畫不出的畫圖!

山頂兒讓我一人登着,
我又覺着淒楚,
我的安娜!我的阿和!
你們是在家中麽?
你們是在市中麽?
你們是在念我麽?
終久快要下雨了,
我要歸去。

〔121〕

光　海

1

無限的大自然

成了一個光海了。

到處都是生命的光波，

到處都是新鮮的情調，

到處都是詩，

到處都是笑：

海也在笑，

山也在笑，

太陽也在笑，

地球也在笑，

我同阿和，我的嫩苗，

同在笑中笑。

翡翠一樣的青松

〔122〕

光　海

笑着在把我們手招。

銀箔一樣的沙原

笑着待把我們擁抱。

我們來了，

你快擁抱！

我們要在你懷兒的當中，

洗個光之澡。

一羣小學的兒童，

正在沙中跳躍：

你撒一把沙，

我還一聲笑；

你又把我推翻，

我反把你搔倒。

我回到十五年前的舊我了。

十五年前的舊我呀，

也還是這麼年少，

〔123〕

沫若詩集

我住在青衣江上的嘉州，

我住在至樂山下的高小。

至樂山下的母校呀！

你懷兒中的沙場，我的搖籃，

可還是這麼光耀？

唉！我有個心愛的同窗，

聽說今年死了！

我契己的心友呀！

你蒲柳一樣的風姿，

還在我眼底留連，

你解放了的靈魂，

可也在我身旁歡笑？

你靈肉解體的時分，

念到你海外的知交，

你流了眼淚多少？……

〔124〕

光　　海

哦,那個玲瓏的石造的燈台,

正在海上光照,

阿和要我登,

我們登上了。

哦,山在那兒燃燒,

銀在波中舞蹈,

一隻隻的帆船,

好像是在鏡中跑,

哦,白雲也在鏡中跑。

這不是個呀?生命的寫照!

阿和,那兒是青天?

他指着頭上的蒼昊。

阿和,那兒是大地?

他指着海中的洲島。

阿和,那兒是爹爹?

他指着空中的一隻飛鳥。

〔125〕

沫 若 詩 集

哦哈，我便是那隻飛鳥！

我便是那隻飛鳥！

我要同白雲比飛，

我要同明帆簑跑。

你看我們那個飛得高？

你看我們那個跑得好？

梅花樹下醉歌

（遊日本太宰府）

梅花！梅花！

我讚美你！我讚美你！

你從你自我當中

吐露出清淡的天香，

開放出窈窕的好花，

花呀！愛呀！

宇宙的精髓呀！

生命的源泉呀！

假使春天沒有花，

人生沒有愛，

到底成了個甚麼的世界？

梅花呀！梅花呀！

我讚美你！

〔127〕

沫 若 詩 集

我讚美我自己！

我讚美這自我表現的全宇宙的本體！

還有甚麼你？

還有甚麼我？

還有甚麼古人？

還有甚麼異邦的名所？

一切的偶像在我面前毀破！

破！破！破！

我要把我的聲帶唱破！

〔128〕

創 造 者

海上起着漣漪，

天無一點織雲，

初昇的旭日，

照入我的詩心。

秋風吹，

吹着庭前的月桂。

枝枝搖曳，

好像在向我笑微微。

吹，吹，秋風！

揮，揮，我的筆鋒！

我知道神會到了，

我要努力創造！

我喚起周代的雅伯，

〔129〕

沫 若 詩 集

我喚起楚國的騷豪，

我喚起唐世的詩宗，

我喚起元室的詞曹，

作'吠陀'的印度古詩人喲！

作'神曲'的但丁喲！

作'失樂園'的米爾頓喲！

作'浮士德悲劇'的歌德喲！

你們知道創造者的孤高，

你們知道創造者的苦惱，

你們知道創造者的狂歡，

你們知道創造者的光耀。

崑崙的積雪，北海的冰濤；

火山之將噴裂，宇宙之將狂飆；

如酣夢，如醉陶，

神在太極之先飄搖。

偉大的羣星喲！

你們是永不磨滅的太陽，

〔130〕

創 造 者

永遠高照着時間的大海

人文史中除却了你們的光明，

有甚麼存在的價值存在？

我幻想着首出的人神，

我幻想着開闢天地的盤古。

他是創造的精神，

他是產生的痛苦，

你聽，他聲如豐隆，

你聽，他吁氣成風，

你看，他眼如閃電，

你看，他泣成流瀧。

本體就是他，上帝就是他，

他在無極之先，

他在感官之外，

他從他的自身，

創造個光明的世界。

〔131〕

沫 若 詩 集

目成日月,

頭成泰岱。

毛髮成草木,

脂膏成江海,

快哉,快哉,快哉,

無明的渾沌,

突然現出光來。

月桂喲,你在爲誰搖擺?

嬰兒呱呱墜地了,

盆在那兒?

湯在那兒?

淋漓的血液,

染成一片胭脂。

紅的瑪瑙喲!

血的結晶喲!

風在賀歌,鳥在賀歌,

〔132〕

創　造　者

白雲湧來朝賀。

滾滾不盡的雲流喲，

把清瑩無際的青天流遍了！

產生你的是誰？我早知道。

窗外飄搖的美人蕉！

你那火一樣的，血一樣的，

生花的彩筆喲，

請借與我草此‘創造者’的讚歌，

我要高讚這最初的嬰兒，

我要高讚這開闢鴻荒的大我。

（一九二一年一〇月八日）

〔133〕

星　空

美哉！美哉！

天體於我，

不曾有今宵歡快！

美哉！美哉！

我今生有此一宵，

人生誠可讚愛！

永恆無際的合抱喲！

惠愛無涯的目語喲！

太空中只有閃爍的星和我。

哦，你看喲！

你看那雙子正中，

五車正中，

W形的Cassiopeia

〔134〕

星　空

橫在天河裏。

天船積屍的Persius

也橫在天河裏。

半鈎的新月

含着幾分淒涼的情趣。

綽約的Andromeda,

低低地垂在西方,

乘在那有翼之馬的

Pegasus 背上。

北斗星低在地平,

斗柄,好像可以用手摐飲。

摐飲呀,摐飲呀,摐飲呀,

我要飲盡那天河中流蕩着的酒漿,

拚一個長醉不醒!

花氈一般的Orion星

我要去睡在那兒,

叫織女來伴枕,

〔135〕

叫少女來伴枕。

唉，可惜織女不見面呀，

少女也不見面呀。

目光炯炯的大犬，小犬，

監視在天河兩邊，

無怪那牧牛的河鼓，

他也不敢出現。

天上的星辰完全變了！

北斗星高移在空中，

北極星依然不動。

正西的那對含波的俊眼，

可便是雙子星麼？

美哉！美哉！

永恆不易的天球

竟有如許變換！

美哉！美哉！

〔136〕

星　空

我醉後一枕黑酣，

天機却永恆在轉！

常動不息的大力喲，

我該得守星待旦。

我迎風向海上飛馳，

人籟無聲，

古代的天才

從星光中顯現！

巴比侖的天才，

埃及的天才，

印度的天才，

中州的天才，

星光不滅，

你們的精神

永遠在人類之頭昭在！

淚珠一樣的流星墜了，

〔137〕

沫 若 詩 集

已往的中州的天才喲!

可是你們在空中落淚?

哀哭我們墮落了的子孫,

哀哭我們墮落了的文化,

哀哭我們滔滔青年

莫幾人能知

那是參商,那是井鬼?

悲哉!悲哉!

我也禁不住滔滔流淚……

哦,親惠的海風!

浮雲散了,

星光愈見明顯。

東方的獅子

已移到了天南,

光琳琅的少女呀,

我把你誤成了大犬。

〔138〕

星　空

蜿蜒的海蛇，

你橫亙在南東，

毒光熊熊的蝎與狼，

你們怕不怕Apollo的金箭？

哦，Orion 星何處去了？

我想起'綢繆'一詩來了，

那對從昏至旦地

歡會着的愛人喲！

三星在天時，

他們邂逅山中；

三星在隅時，

他們避人幽會；

三星在戶時，

他們猶然私語！

自由優美的古之人，

便是束草刈薪的村女山氓，

也知道在恆星的推移中

〔139〕

沫 若 詩 集

尋覓出無窮的詩料，

啊，那是多麼可愛喲！

可惜那青春的時代去了！

可惜那自由的時代去了！

唉，我仰望着星光禱告，

禱告那青春時代再來！

我仰望着星光禱告，

禱告那自由時代再來！

雞聲漸漸起了，

初昇的朝雲喲，

我向你再拜，再拜。

（一九一二年二月四日晨）

〔140〕

洪 水 時 代

I

我望着那月下的海波，
想到了上古時代的洪水，
想到了一個浪漫的奇觀，
使我的中心如醉。

那時節茫茫的大地之上
匯成了一片汪洋；
只剩下幾朵荒山
好像是海洲一樣。

那時節，魚在山腰遊戲，
樹在水中飄搖，
孑遺的人類

〔141〕

全都逃避在山椒。

II

我看見，塗山之上

徘徊着兩個女郎：

一個抱着初生的嬰兒，

一個扶着抱兒的來往。

她們頭上的散髮，

她們身上的白衣，

同在月下迷離，

同在風中飄舉。

抱兒的，對着皎皎的月輪，

歌唱出清越的高音；

月兒在分外揚輝，

四山都生起了回應。

〔142〕

洪 水 時 代

III

'等待行人兮不歸,

滔滔洪水兮幾時消退?

不見淨土兮已滿十年,

不見行人兮已滿周歲。

兒生在抱兮兒愛號咷,

不見行人兮我心寂寥。

夜不能寐兮在此徘徊,

行人何處兮今宵?——

唉,消去罷,洪水呀!

歸來罷,我的愛人呀!

你若不肯早歸來,

我願成爲那水底的魚蝦!'

〔143〕

沬 若 詩 集

IV

遠遠有三人的英雄

乘在隻獨木舟上，

他們是椎髻，裸身，

在和激漲着潮流接仗。

伯益在舟前撐篙，

后稷在舟後搖艄，

夏禹手執斧斤，

立在舟之中腰。

他有時在研伐林樹，

他有時在開鑿山岩。

他們在奮湧着原人的力威

想把地上的狂濤驅回大海！

V

〔144〕

洪 水 時 代

伯益道：'好悲切的歌聲！

那怕是塗山上的夫人？'

后稷道：'我們搖船去罷，

去安慰她耿耿的愛心！'

夏禹，只把手中的斤斧暫停，

笑說道：'那只是虛無的幻影！

宇宙便是我的住家，

我還有甚麼個私有的家庭。

我的手要胼到心，

我的脚要胼到頂，

我若不把洪水治平，

我怎奈天下的蒼生？'——

VI

哦，皎皎的月輪

〔145〕

沫 若 詩 集

早被稠雲遮了。

浪漫的幻景

在我眼前閉了。

我坐在岸上的舟中，

思慕着古代的英雄，

他那剛毅的精神

好像是近代的勞工。

你偉大的開拓者嚇，

你永遠是人類的誇耀！

你末來的開拓者嚇，

如今是第二次的洪水時代了！

（十年十二月八日作）

（附註）

此詩出典見呂氏春秋，'夏季紀，音初篇'。篇中有云：'禹行功，見

塗山之女。禹未之遇而巡省南土。塗山氏之女乃命其妾候禹於塗

洪　水　時　代

山之陽，女乃作歌曰：'候人兮，猗！'實始作爲南音。

此外尚書'皐蘇謨'損（今文尚悲）有'娶於䔍山，辛壬癸甲，啓呱呱而泣，予弗子，惟荒度土功'數語。禹父治水九年不成，禹娶後三日而出，迄啓呱呱墜地時尚已一年，故上有'不見淨土兮已滿十年'之語，非係杜撰也。

〔147〕

伯夷這樣歌唱

伯夷不願做孤竹的國君逃往首陽，

他路過渤海之濱放聲地這樣歌唱。

————————

啊啊，寥寂莊嚴的靈境，

這般地雄渾，坦盪，淸明！

地上是百花燦爛的郊原，

眼前是原始的林木蕭森；

無邊的大海璀燦在太陽光中，

五色的慶雲在那波間浮動：

哦哦，天際簇湧着的雲峯喲，

那是自由的歡歌，簫韶的九弄！

〔148〕

伯夷遺樣歌唱

我塵寰中三十年的囚俘，
我於今纔得解放了五官的閉甕，
我俯仰在天地之間呼吸乾元，
造化的精神在我胸中澎湃！

三十年來的新我方慶誕生，
三十年前的生涯眞如一夢！
啊啊，我回顧那墮落了的人寰，
我還禁不住憤怒重重，痛定思痛。

那兒是刑政因襲的鐵獄銅籠，
那兒有險狠，陰賊，貪婪，湧聚如蜂。
毒蛇猛獸之羣在人上爭博雌雄，
奴顏婢膝者流在膿血之間爭籠，

啊啊，原人的純潔，原人的眞誠，

「149〕

— 173 —

沬 若 詩 集

是幾時便那樣地消磨罄盡？

我如今離開了那罪和不幸之門，

我可在這高天大地之中瞑目而殞。

啊啊，我自從離開了孤竹，計算起來，晝夜已交替了
　　十次。

我隨着遼河南下，終竟到了這寥無人跡的境地，

我逃人如像逃影一般，終竟到了這寥無人跡的境
　　地！

我幼時所景仰，所渴念，所縈夢的大海，

如今浮泛着五色的慶雲在眼前展開，

我好像置身在唐虞時代。

在那時代的自由純潔的原人，

都好像從岩邊天際向我笑迎。

啊，我此刻眞是榮幸！

我的周遭沒一樣不是新奇的現象：

〔150〕

伯夷這樣歌唱

我頭上穹窿着的蒼天,燃燒着的太陽,

我脚下凈凝着的大地,生動着的太荒。

啊,我污池中的白蓮,如今纔移根在玉液瓊漿!

我回想唐虞以前的人類,那是何等自由,純潔,高
　　邁!

他們是沒有牝我的區分,沒有國族的境界。

他們與其受人爵祿,甯肯負石投河,

如今呢?啊,如今的人類是草菅人命動輒即用干戈!

墮落了的人類喲!不可挽救的人類喲!

可那不是同受高天厚地的載幬,浩氣的嘘息,原入
　　血液的流灌?

那怎墮落成這樣一個私慾的集團,這樣一個如牛
　　馬屎的積團?

歸究起來,還是要怪那萬惡不赦的夏啓!

一切的罪惡和不幸的根芽都是從他那家天下的制
　　度種下,

〔151〕

沫若詩集

是他，是他，是他，是他把我們人類濁化！

啊啊，你萬惡不赦的夏啓呀！

我們古人本是沒有國家，本是沒有君長，

偶爾應時勢的要求，

纔由多數人民選出個賢者在上。

伏羲之後不知歷多少年代纔有神農，

神農之後又不知歷多少年代纔有黃帝，

他們何嘗是酒池肉林瓊台玉食的專擅魔王？

他們不過是我們古人的看牛的牧夫，

耕地的傭人，縫衣製車的工匠。

唐虞時代洪水橫流，

便是治水有功的你的父親，

也不過是我們古人選出的治水的工頭。

纔不幸他生了你，

你不肖的兒子喲，你萬惡不赦的夏啓！

〔152〕

伯夷遺様歌唱

你敢在公有的天下中創下家天下的制度。

你擅自揑造個人形的上帝頂在頭顱。

你說天下是上帝傳給你的父親，

是你夏家的私有財產，

該你傳子傳孫，該你分封功臣，

由你把整潔的寰中縱橫宰砍。

你說你是萬民的父母，你是上帝的化身，

該你作福作威，壽夭人的生命。

到如今你的血食何存?

你徒使後人效尤，

製出了許多禮教，許多條文，

種下了無窮無際的罪和不幸。

啊，你私產制度的遺恩!

你偶像創造的遺恩!

比那洪水的毒威還要劇甚!

慘毒的洪水怎不曾把個呱呱墮地的嬰兒，

你生在塗山未曾毒禍人類的嬰兒，

〔153〕

— 177 —

沫 若 詩 集

從人類的命運之中解救了去?

啊,滔滔不盡的夏啓的追隨者喲!

人類的禍災是萬劫不能解救!

我在這高天厚地之中發誓宣明:

我只能離羣索居,獨善吾身!

你們窘困在刑政積威之下的人們喲,

囚籠中的小鳥還想飛返山林,

豢池中的魚鱗還想逃回大海。

你們如不甘那樣的奴隸生涯

你們還請在這獨善的大道上大胆徘徊!

你們蹐跼在牢獄之中還嫌身太自由,

你們頂戴着暴君還要供獻羔羊奉酒,

你們男耕女織替他衣食爪牙,

你們獻稅納租向着蝗蟲求報,

你們養虎自斃,作繭自縋,

你們步着死路的屠羊,爲甚帖耳不返!

〔154〕

伯夷叔齊歌唱

可憐無告的人類喲！

他們教你柔順，教你忠誠，

教你尊崇名分，教你犧牲，

教你如此便是禮數，如此便是文明；

我教你們快把那虛僞的人皮剝盡！

你們回到這自然中來，

過度純粹赤裸的野獸生涯，

比在囚牢之中做人還勝！

宇宙中有不盡的資源，

我們各盡所能足以滋乳生生；

我們各有理性天良足以扶柔濟困；

我們何有於君長刑政？何有於禮敎文明？

可憐無告的人們喲！快醒！醒！

我在這自然之中，在這獨善的大道之中，

高唱着人性的凱旋之歌，表示歡迎！

〔155〕

沫 若 詩 集

伯夷不願做孤竹的國君逃往首陽，
他路過渤海之濱放聲地這樣歌唱。

（一九二二年二月二三日作）

（一九二八年二月三日修改）

〔i56〕

月下的故鄉

啊啊,大海已近在我眼前了。

我自從離却了我月下的故鄉,那浩淼茫茫的大海,

　　我駕着一隻扁舟,沿着一道小河,逆流而上。

上流的潮水時來冲打我的船頭,我是一直向前,我

　　不曾迴過我的柁,我不曾停過我的槳。

不怕周圍的風波如何險惡,我不曾畏縮過,我不曾

　　受過他們支配,我是一直向前,我是不曾迴過

　　我的柁,不曾停過我的槳。

我是想去救渡那潮流兩岸失了水的人們,啊啊,我

　　不知道是幾時,我的柁也不靈,槳也不聽命,上

　　流的潮水,把我這隻扁舟又推送了轉來。

如今大海又近在我眼前了!

我月下的故鄉,那浩淼無邊的大海又近在我眼前

　　了!　　　　　(一九二二年八月十九日)

〔157〕

夜

夜！黑暗的夜！

要你纔是'得摩克拉西'！

你把這全人類來擁抱：

再也不分甚麼貧富貴賤，

再也不分甚麼美惡賢愚，

你是貧富貴賤美惡賢愚一切亂根苦蒂的大溶爐。

你是解放，自由，平等，安息，一切和胎樂蕊的大工
　　師。

黑暗的夜！夜！

我眞正愛你，

我再也不想離開你。

我恨的是那些外來的光明；

他在這無差別的世界中

〔158〕

夜

硬要生出一些差別起。

（一九一九年間作）

〔159〕

死

哎！

　　要得眞正的解脫呀，

　　邁是除非死！

死！

　　我要幾時纔能見你？

　　你譬比是我的情郎，

　　我譬比是個年輕的處子。

　　我心兒很想見你，

　　我心兒又有些怕你。

我心愛的死！

　　我到底要幾時纔能見你？

　　　　　（一九一九年間作）

〔169〕

〔Ⅵ〕

春　蠶

A. 愛 神 之 什

〔161〕

VENUS

我把你這張愛嘴，

比成着一個酒杯。

喝不盡的葡萄美酒，

使我是時常沉醉！

我把你這對乳頭，

比成着兩座坟墓。

我們倆睡在墓中，

血液兒化成甘露！

（一九一九年間作）

〔162〕

別　離

殘月黃金梳，

我欲掇之贈彼姝。

彼姝不可見，

橋下流泉聲如泫。

曉日月桂冠，

掇之欲上青天難。

青天猶可上，

生離令我情惆悵。

（一九一九年，三四月間作）

〔163〕

春　愁

是我意淒迷？

是天蕭條耶？

如何春日光，

慘淡無明輝？

如何彼岸山，

愁容不展眉？

週遭打岸聲，

海兮汝語誰？

海語終難解，

空見白雲飛。

（一九一九年，三四月間作）

〔164〕

司健康的女神

Hygeia喲!

你爲甚麼棄了我?

我若再得你薔薇花色的臉兒來親我,

我便死——也靈魂安妥。

Hygeia喲,

你爲甚麼棄了我?

[1965]

新月與白雲

月兒呀！你好像把鍍金的鐮刀。
你把這海上的松樹斫倒了，
哦，我也被你斫倒了！

白雲呀！你是不是解渴的冷冰？
我怎得把你吞下喉去，
解解我火一樣的焦心？

(一九一九年夏秋之間作)

〔166〕

死 的 誘 惑

我有一把小刀，

倚在窗邊向我笑。

她向我笑道：

沫若，你別用心焦！

你快來親我的嘴兒，

我好替你除却許多煩惱。

窗外的青青海水

不住聲地也向我叫號。

她向我叫道：

沫若，你別用心焦！

你快來入我的懷兒，

我好替你除却許多煩惱。

(這是我最早的詩，大概是一九一八年初夏作的)

〔167〕

火 葬 場

我這瘋頸子上的頭顱

好像那火葬場裏的火爐；

我的靈魂兒,早已被你燒死了!

哦,你是那兒來的涼風?

你在這火葬場中

也吹出了一株——春草。

〔168〕

鷺鷥

鷺鷥！鷺鷥！

你自從那兒飛來？

你要向那兒飛去？

你在空中畫了一個橢圓，

突然飛下海裏，

你又飛向空中去。

你突然又飛下海裏，

你又飛向空中去。

雪白的鷺鷥！

你到底要飛向那兒去？

（一九一九夏秋之間作）

〔169〕

鳴　蟬

聲聲不息的鳴蟬呀！

秋喲！時浪的波音喲！

一聲聲長此逝了……

〔170〕

晚　步

松林呀!你怎麽這樣清新!

我同你住了半年,

從也不曾見

這砂戯兒這樣平平!

兩乘拉貨的馬車從我面前經過,

倦了的兩個車夫有個曼聲唱歌。

空車裹載的是些甚麽?

海潮兒應聲着:平和!平和!

〔171〕

B. 春蠶之什

〔173〕

春　蠶

蠶兒呀，你在吐絲……

哦，你在吐詩！

你的詩，怎麼那樣地

纖細，明媚，柔膩，純粹！

那樣地……哎！我已形容不出你。

蠶兒呀，你的詩

可還是出於有心？無意？

造作矯揉？自然流瀉？

你可是爲的他人？

還是爲的你自己？

蠶兒呀，我想你的詩

終怕是出於無心，

〔174〕

春 蠶

終怕是出於自然流瀉。

你在創造你的'藝術之宮'，

終怕是爲的你自己。

(175)

蜜桑索羅普之夜歌

無邊天海呀！

一個水銀的浮漚！

上有星漢滋波，

下有融晶汎流。

正是有生之倫睡眠時候。

我獨披著件白孔雀的羽衣，

遙遙地，遙遙地，

在一隻象牙舟上翹首。

啊，我與其學做個淚珠的鮫人

返向那沉黑的海底流淚偷生，

寧在這縹渺的銀輝之中，

就好像那個墜落了的星辰，

曳著帶幻滅的美光，

向著'無窮'長殞！

[176]

普羅索桑密之夜歌

前進！……前進！
莫辜負了前面的那輪月明！

（一九二〇年一一月二三日）

[177]

彎 月

淡淡地，幽光
浸洗着海上的森林。
森林中寥寂深深，
還滴着黃昏時分的新雨。

雲母面就了般的白楊行道
坦坦地在我面前導引，
引我向沉默的海邊徐行，
一陣陣的暗香和我親吻。

我身上覺着輕寒，
你偏那樣地雲衣重裹，
你團圞無缺的明月啊，
請借件縞素的衣裳給我。

〔178〕

盃　月

我眼中莫有睡眠，

你偏那樣地霧帷深鎖。

你淵默無聲的銀海喲！

請提起幽渺的波音和我。

〔179〕

晴　朝

池上幾株新柳，
柳下一座長亭，
亭中坐着我和兒，
池中映着日和雲。

雞聲，翠鳥聲，鸚鵡聲，
溶流着的水晶一樣l
粉蝶兒飛去飛來，
泥燕兒飛來飛往。

落葉蹁躚，
飛下池中水。
綠葉蹁躚，
飜弄空中銀輝。

〔180〕

晴　朝

一隻白鳥
來在池中飛舞。
哦，一灣的碎玉！
無限的青蒲！

岸　上

其　一

岸上的微風

早已這麼清和！

遠遠的海天之交，

只剩着晚紅一線。

海水淵青，

沉默着斷絕聲嘩，

青青的郊原中，

慢慢地移着步兒，

只驚得草裏的蝦蟆四竄。

漁家處處，

吐放着朵朵有涼意的圓光。

一輪皓月兒

早在那天心孤照。

〔182〕

岸　　上

我吹着枝

小小的‘哈牟尼筇’，

坐在這兒海岸邊的破船板上。

一種寥寂的幽音

好像要充滿這瑩潔的寰空。

我的身心

好像是——融化着在。

(一九一〇年七月二六日

其　二

天又昏黃了。

我獨自一人

坐在這海岸上的漁舟裏面，

我正對着那輪皓皓的月華，

深不可測的青空！

深不可測的天海呀！

海灣中喧豗着的濤聲

〔183〕

沐若詩集

猛烈地在我背後推盪！

Pos．idon呀，

你要把這隻漁舟

替我推到那天海裏去？

（一九一〇年七月二七日）

其 三

哦，火！

鉛灰色的漁家頂上，

昏昏的一團紅火！

鮮紅了……嫩紅了……

橙黃了……金黃了……

依然還是那輪皓皓的月華！

‘無窮世界的海邊羣兒相遇。

無際的青天靜臨，

不靜的海水喧豗。

無窮世界的海邊羣兒相遇，叫着，跳着。’

〔184〕

岸　　上

我又坐在這破船板上，

我的阿和

和着一些孩兒們

同在砂中遊戲。

我念着泰戈爾的一首詩，

我也去和着他們遊戲。

哎!我怎能成就個純潔的孩兒?

（一九一〇年七月二九日）

〔185〕

晨　興

月光一樣的朝暾

照透了這蓊鬱着的森林，

銀白色的沙中交橫着迷離疎影。

松林外海水清澄，

遠遠的海中島影昏昏，

好像是，還在戀着他昨宵的夢境。

攜着個稚子徐行，

耳琴中交響着雞聲，鳥聲，

我的心琴也微微地起了共鳴。

〔186〕

春 之 胎 動

獨坐北窗下舉目向樓外西望：
春在大自然的懷中胎動着在了！

遠遠一帶海水呈着雌虹般的彩色，
俄而帶紫，俄而深藍，俄而嫩綠。

暗影與明輝在黃色的草原頭交互浮動，
如像有探海燈轉換着在的一般。

天空最高處作玉藍色，有幾朵白雲飛馳；
其緣邊色如乳糜，微微眩目。

樓下一隻白雄雞，戴着鮮紅的柔冠，
長長的聲音叫得已有幾分倦意。

〔187〕

春 之 胎 動

幾隻雜色的牝雞偎伏其旁沙池中，
都帶着些嬌慵無力的樣兒。

自海上吹來的微風繞在雞尾上動搖，
早悄悄地偷來吻我的顏面。

空漠處時聞小鳥的歌聲。
幾朵白雲不知飛向何處去了。

海面上突然飛來一片白帆……
不一刹那間也不知飛向何處去了。

（二月二十六日）

〔188〕

日 暮 的 婚 筵

夕陽，籠在薔薇花色的紗羅中，
如像滿月一輪，寂然有所思索。

戀着她的海水也故意裝出個平靜的樣兒，
可他嫩綠的絹衣却遮不過他心中的激動。

幾個十二三歲的小姑娘，笑語娟娟地，
在枯草原中替他準備着結歡的婚筵。

新嫁娘最後漲紅了她豐滿的臉兒，
被她最心愛的情郎擁抱着去了。

（二月二十八日）

〔189〕

C. Sphinx之什

[191]

月下的Sphinx

——贈 晶 孫——

夜已半，
一輪美滿的明月
露在羣松之間。

木星照在當頭，
照着兩個'司芬克司'在走。
夜風中有一段語聲洩漏——

一個說：
好像是在尼羅河畔
金字塔邊盤桓。

一個說：

〔192〕

月 下 的 Sphinx

月兒是冷淡無語，
照着我紅豆子的齒兒。

〔193〕

苦味之盃

啊啊，苦味之盃喲，

人生是自見此地之光

不得不盡量傾飲。

呱呱墜地的新生兒的悲聲！

為甚要離開你溫暖的慈母之懷，

來在這空漠的，冷酷的世界？

啊啊，天光漸漸破曉了，

羣星消沉，

美麗的幻景滅了。

晨風在窗外呻吟，

我們日日朝朝新嘗着誕生的苦悶。

啊啊，

〔194〕

苦味之盃

人為甚麼不得不生？

天為甚麼不得不明？

苦味之盃喲，

我為甚麼不得不盡量傾飲？

〔195〕

靜　夜

月光淡淡
籠罩着村外的松林。
白雲團團，
漏出了幾點疏星。

天河何處？
遠遠的海霧模糊。
怕會有鮫人在岸，
對月流珠？

〔196〕

偶　成

月在我頭上舒波，
海在我脚下喧豗，
我站在海上的危崖，
兒在我懷中睡了。

〔197〕

南　風

南風自海上吹來，

松林中斜標出幾株烟靄。

三五白帕蒙頭的青衣女人，

殷勤勤地在焚掃針骸。

好幅典雅的畫圖，

引誘着我的步兒延佇，

令我回想到人類的幼年，

那恬淡無爲的泰古。

（一九二一年一〇月二〇日）

〔198〕

新 月

小小的嬰兒，
坐在簷前歡喜，
拍拍着兩兩的手兒，
又伸伸着向天空指指。

夕陽的返照，
還淡淡地暈着微紅，
原來是黃金的月鐮，
業已現在西空。

（一九二一年一〇月一四日

白　雲

魚鱗斑斑的白雲
波蕩在海青色的天裏
是首韻和音雅的
燦爛的新詩。

聽喲，風在低吟，
海在揚聲唱和；
這麼冰感般的
幽綠的音波。

〔200〕

雨　後

雨後的宇宙，
好像淚洗過的良心，
寂然幽靜。

海上泛着銀波，
天空還暈着烟雲，
松原的青森！

平平的岸上，
漁舟一列地駢陳，
無人踪印。

有兩三燈火，
在遠遠的島上閃明——

〔201〕

雨　後

初出的明星？

（一九二一年一〇年二〇日）

[202]

天上的市街

遠遠的街燈明了，
好像閃着無數的明星。
天上的明星現了，
好像點着無數的街燈。

我想那縹渺的空中，
定然有美麗的街市。
街市上陳列的一些物品，
定然是世上沒有的珍奇。

你看，那淺淺的天河，
定然是不甚寬廣。
我想那隔河的牛女，
定能夠騎着牛兒來往。

〔203〕

天 上 的 市 街

我想他們此刻，

定然在天街閑遊。

不信，請看那朵流星，

那怕是他們提着燈籠在走。

（一九二一年一〇月廿四日）

〔204〕

新月與晴海

兒見新月，

遙指天空；

知我兒魂已飛去，

遊戲廣寒宮。

兒見晴海，

兒學海號；

知我兒心正飄蕩，

心腦海浪潮。

（一九一九年初間作）

〔205〕

D. 廣寒宮

〔207〕

廣 寒 宮

（童 話 劇）

時……地上黑暗與睡眠支配着的時候

地……月亮廣寒宮嫦娥們讌游之別院

景……一片冰岩雪岫，正中簇擁書院一椽，以碧玉爲階，以朱玉爲柱，無窗戶門號，以雲母爲簾，垂而未捲，屋瓦凝冰，一片瑩白。

院前嚴地，上積冰雪。中央有桂樹一株，大可合抱，高與屋齊，枝葉暢茂。翠葉如玉片紛披，枝幹如靑銅滑膩。

上有一片蔚藍色的天空，明星點點。

嫦娥二人自右翼負書笈而出。散髮，勒以金裘，額前着銀星一朵。衣色純白，長袖寬博，裾長曳地。

第 一

妹妹，地上的囂聲，已如遠潮一樣，漸漸消退，羣星

〔208〕

廣 寒 宮

都巳醒來,這正是我們歌舞的時候了。

第 二

我們來得太早,姊妹們都還沒有起來呢。

第 一

她們總愛貪睡,不怕天雞叫得多麼高,總不容易把她們叫醒。等她們醒來的時候,張果老先生又要起來干涉我們了。

第 二

可不是嗎?我們那張果老先生,真是令人討厭。我們歌舞着時,羣星也在同我們歌歌,羣星也在同我們舞舞,那是多麼高興,他要來管束我們,要叫我們讀那不可了解的怪書,我們真是把他沒法呢。我們能得想個法子出來,把他拘束着,聽隨我們自由,那是多麼好啦!

第 一

可不是嗎?但是我們想不出法子來,也只好偸着空兒取樂,可惜她們偏偏又要貪睡呢。

〔209〕

沫 若 詩 集

（兩人走至桂花樹下，攀吊樹枝，作鞦韆舞。）

第 二

姐姐，你可知道，這株樹子是甚麼名兒？

第 一

這是地上的桂花樹兒，我是昨天纔聽張果老先生
講的。

第 二

地上的樹木，爲甚麼能夠生長在我們月宮裏呢？

第 一

他說是在不知道多少年辰以前，那銀河東岸住着
的織女姑娘，無端想和對岸的牽牛童子相會，但是
因爲有天河隔着他們，他們不能渡河，織女姑娘是
很靈巧的人，她用黑白絲絹，剪成十三隻鳥兒，向他
們嘆道：啊，去呀！他們就也‘啊去呀啊去呀’地叫着
飛起去了。他們飛到地上去，採集許多香水來，在銀
河上面駕了一道橋兒，因此織女和牽牛，便得在橋
頭相會。但是地上的東西是不能經久的。等他們會

〔2:0〕

廣寒宮

了一刻之後，那鳥兒們便要把橋拆毀，銜飛到塵世去。聽說自從那時起，塵世上纔有那種鳥兒，因爲他們只是‘啊去呀啊去呀’地叫，所以地上的人都叫他們是‘鴉鵲’。這些鴉鵲們每到一定的時候，總要飛來天上架一次橋，架了又拆銜回去。他們有一次，銜來的樹枝落了一枝到我們月宮裏來，張果老先生把牠插在我們學堂門前，便長成這麼大的一株桂樹了。——這些話眞確不眞確我雖是不得而知，但是是他親自對我說的。

第 二

哦，原來纔有這麼一段稀奇的故事兒！無怪這桂花樹兒，纔有些不同，我們月中的梭欏樹兒們，都是青篛透明的，這株桂花樹兒，牠偏會多生枝葉，並且在這明淨的地方偏會生出些陰影來，這眞是株不良樹兒呢。你看，牠又不開花，又不結子。

第 一

妹妹，你倒錯怪了牠了。聽說牠在地上原是頂珍貴

〔211〕

的樹兒，他每年要開一次香花，落到我們月宮裏來，因為氣候不同，所以牠便永遠不能開花，只好多生枝葉了。

第 二

那嗎，牠倒可憐了。

第 一

可憐牠離却故鄉，孤身獨自。

第 二

姐姐，牠這樣不言不語，怕牠心中在暗暗地怨恨那織女姑娘呢？我倒很想做首詩來替牠申訴，可惜我又做不好。

第 一

妹妹，你做罷！你快做罷！你做出來念給我聽聽咧！

第 二

（繞樹沉吟一會）

姐姐，我有了，可是不好。

（212）

廣寒宮

第 一

你快念給我聽聽咧！不要躊躇呀！我們姊妹間還害
甚麼羞呢？

第 二

（朗 吟）

天河涓涓水在流，

怨她織女戀牽牛。

爲多一片殷勤意，

惹得香花失故丘。

第 一

妹妹，你這不是一首詩嗎？你的心兒真靈敏呀！——

第 二

哎喲姐姐，你終愛奉承！

第 一

我却不是奉承，我想這不言不語的樹兒，怕在暗暗
地向你道謝呢？你等我把這詩兒，刻在這樹皮兒上
罷。

（自書篋中取出裁紙刀兒一柄，走至樹下）

〔213〕

沫 若 詩 集

第 二

（獺　娟）

姐姐，你不要刻呀！

第 一

（不應，用刀刻樹，先念出‘天河涓涓’四字，刀刻不進）

哦呀！這株樹兒眞是奇怪！我的刀兒刻不進呀！我們月中的樹兒都是鮮蔽蔽的，嫩禾禾的，便用指甲兒也可以搯彈得破，惟獨這枝樹兒縵這麼頑皮呢！

第 二

刻不進正好！刻不進正好！免得露出醜來。

（唱歌之聲起）

哦呀，姐姐！她們都醒來了！她們唱起歌兒來了！

第 一

來了！她們來了！我們藏在這株樹兒背後，驚駭她們一下罷。

第 二

那是很有趣兒，那是很有趣兒。

（兩人睩入樹後）

〔214〕

廣 宮 盜

（歌聲——女兒數人合唱）

地上夜深時，

月中朝日起。

天雞叫遙空，

笙歌漾天宇。

天宇色青青，

星星次第明。

姊妹月中人，

雲彩衣上生。

（嫦娥數人，與前兩人作同樣裝束，自右側魚貫而出）

我們今天來得却是太早，張果老先生他還沒有醒
來呢。

我們往常來的時候，他總在這株樹兒下坐着等我
們，想起他那樣兒來，我真想笑死了。

往常來得很早的兩位姐姐，今早怎麼不見人呢？怕
她們在睡懶覺了。

〔215〕

今早等她們來時,我們好取笑她們一場。

怕她們早早進了學堂去了?

我不相信。

我不相信。

我不相信她們便早早進了學堂,她們平時都不是很厭惡張果老先生的嗎?

我想我們不恨張果老先生的人怕沒有。

張果老先生眞是討厭的人,你看他耳又聾,眼又瞎,背又駝,脚又短,他走起路來,倒是非常之快,別家人正在歡樂的時候,他就好像一顆流星一樣,一溜地就跳起來了。

我最討厭的是他那個樣兒。你看,他那對眉毛,長得來快要吊到嘴角了;他那簇鬍子,翹在嘴下,就像隻兔子的尾巴一樣呢。

他身上的穿着,又不逗人笑嗎?一件黃棉襖兒,袖子又長,腰身又短,腿套也是黃的,鞋襪也是黃的,他又戴一頂紅耳絆兒的黃風帽兒。你看,他一弓起背

〔216〕

廣寒宮

兒走來,那纔不像一個人樣兒呢!

我前兩天做了兩首可笑的歌兒,我怕你們怪我,我
不敢對你們說。

你做的是甚麼可笑的歌兒?你說罷!

你說罷!

你念出來我們大家聽聽!

我做的是'張果老的歌兒',我們大家圍成一個圈
兒,等我唱兩句,你們大家給我和起來罷。

那是很有趣兒!那是很有趣兒!

（衆嫦娥排成一個圓形,提頭者站立在中央,調好聲息,唱）

張果老,

逗人笑……

（纔唱兩句,便自行發起笑來）

你自己便笑了,還有甚麼趣味呢?

（提頭者調好聲息再唱,每唱兩句,其餘合聲和之）

張果老,

逗人笑!

〔217〕

沫 若 詩 集

眉長長過眼，

背駝高過腦。

目眇耳又聾，

齞齖唇下翹。

黃風帽兒紅耳絆，

身上穿着黃棉襖。

黃棉襖，

短又小。

身長不過膝，

袖長長過爪。

一對鴫兒鞋，

一雙黃腿套。

弓起背兒走起來，

好像一個猴兒跳。

（殿尾兩句，眾人不能唱和，喧笑起來）

（樹後有老人歎息）

〔218〕

廣　寒　宮

你們這些頑皮的丫頭！你們不進學堂來讀書，還在那兒取笑我啦！

（衆嫦娥驚惶失措，紛紛向學堂跑去。二嫦娥揚笑聲自樹後掩出）

你這兩個頑皮丫頭！你們眞駭得我們不淺！

我們要懲罰你們！我們要懲罰你們！

（羣扭二人而膈肢之，笑聲雜杳，在樹下羣相追逐）

第　一

饒了我們罷！饒了我們罷！

第　二

我們本來沒有罪過，是你們自己虛了心。

第　一

是你們自己糊塗了。

衆　人

你們還說是我們自己糊塗嗎？

第　一

哎喲，不要膈肢得人這麼怪難過的。

第　二

〔219〕

你們總不該背着先生說壞話啦！不是自己糊塗，是誰個糊塗呢？

數 人

就算是我們錯了，我們糊塗了，你們總不該做出那麼詭詐的勾當啦！

第 三

姐姐妹妹們，你們等我來和解罷！我們大家都鬆了手罷！

（眾嬋娥各各鬆手聽命）

數 人

姐姐！你要怎麼和解呢！

第 三

令朝總算是她們錯了，她們不該欺詐我們，我們罰她們唱曲歌兒來贖罪，你們看好不好？

第 四

好便是好，但是我想應該加個條件。

第 三

〔220〕

加個甚麼條件呢？

第　四

我們要叫她們唱一曲新鮮的歌兒，歌着一段故事，
要是我們不曉得的。並且至短要在四節以上，各人
唱一節，要不准她們商量，不准她們思索，看她們情
願不情願？

第　三

噯喲，你這樣是苦人的難題了！

其　他

不苦不成刑罰呢！

第　三

（對於二人）

你們情願不情願呢？

（兩人相親而頷首）

第　一

不要緊，莫說只是一曲歌兒。

第　二

〔221〕

沫若詩集

就是十曲百曲，我們也情願唱呢。

第　三

那嗎，你們就請唱罷！唱得不好的時候，再罰你們十曲百曲！

（衆嫦娥排成新月形，兩人在前方交互歌唱，唱時做出種種姿勢，表現歌中情節）

第　一

天河涓涓水在流，

隔河織女戀牽牛。

可憐身無雙飛翼，

可憐水上無行舟。

第　二

可憐水上無行舟，

窈窕心中生暗愁。

愁到清輝減顏色，

愁如流水之悠悠。

第　一

〔222〕

廣 寒 宮

愁如流水之悠悠，

悠悠此恨何時休？

織就絹絲三百兩，

織成鴉鵲十三頭。

第 二

織成鴉鵲十三頭，

放入塵寰大九州，

探來地上之香木，

探來天上效綢繆，

第 一

探來天上效綢繆。

天河之上鵲橋浮。

橋頭牛女私相會，

橋下涓涓水在流。

第 二

好了，我們的歌兒唱完了，你們滿足不滿足呢？

好極了！好極了！

〔223〕

那來這麼一段有趣的故事兒？

兩位姐姐，是你們自己編出來的嗎？

第 一

不是的，是我們聽來的呢。

姐姐們是從甚麼地方聽來的？

第 二

是她從張果老先生那裏聽來的呢。她剛纔纔對我講起，還有更有趣的，就是這株樹兒（指桂樹），他正是鴉鵲們從地上銜來的香木呢！

這麼大的一株樹子，怎麼能從地上銜來？

第 一

哦喲，你們真是聰明！牠被銜來的時候，只不過是枝枯枝，張果老先生把牠插在這兒，牠便活了，不知道長了多少年辰，纔長到這麼大的呢。

哈哈，真的嗎？這真奇怪啦！

第 二

這還不算奇怪，還有更奇怪的呢！我們剛纔來的時

〔224〕

廣　寒　宮

候,想在樹皮兒上刻幾個字兒,我們的裁紙刀兒總刻不進呢。

有那樣的事情?我們不信!

我們不信有那樣的事情!

（衆自書笈中取出裁紙刀兒,走至標下刻試）

喂呀,真的刻不進呢!

真的刻不進呢!

我們月宮中會有這樣頑皮的樹兒!

哈哈,我倒想出一個計策來了!

是甚麼計策呢?

是甚麼計策呢?

我想起張果老先生他前幾天說過,他說他眼睛不好,這株樹兒長得太高太大了,把學堂遮得怪黑暗的,他要把牠斫去。他前幾天不是這麼說過嗎?

第　一

不錯,不錯,他是這麼說過,他是這麼說過。我們今天等他出來的時候,就叫他把這樹兒斫倒,要是他

〔225〕

沫 若 詩 集

不斫倒的時候，我們便再不進那黑漆漆的學堂裏面讀書去了。

第 二

不錯，不錯。他自然是不會斫倒，我們去叫他來罷。

衆相聚議之時，張果老半揭齋院正中一簾，弓背而出，走至樹前，嫦娥們與之劈面相遇，各各肅然斂揖。

先生起來了，先生早安！

果 老

你們早來，怎麼還不進學堂，還在這兒做甚？

衆人面面相覷後，同聲發言

先生！我們有話向你說呀！

（果老解開帕絆，傾耳作諦聽狀）

先生前兩天不是說過，說這株樹兒長得太高太大了，把學堂遮得怪黑暗的，先生說要把牠斫倒。先生不是說過這句話嗎？

果 老

（頷 首）

〔226〕

廣 寒 宮

先生，我們今朝來，便是要請先生斫倒這株樹兒。要斫倒後我們纔好進學堂裏去讀書。就請先生今朝把牠斫倒了罷！

果 老

（頷 首）

我說過的話是定要做的，我做的事情，不做徹底是不罷手的。你們走兩個去，去把我的板斧抬來，等我今朝就着手斫倒他罷。等我斫倒了之後，你們再進學堂來也好。

（第一第二兩嫦娥，應聲往書院中去）

這株樹兒，原來不是月宮中的樹木，把牠們斫了，倒也沒有甚麼可惜。在你們所不能計算的多少年辰以前，那天河南岸的織女姑娘，想和對岸的牛郎相會。她因爲不能渡河，纔剪了十三隻鴉鵲，放往塵世上去。放去銜些香木來在天河上架起橋兒，使她得和牛郎相會。那時從鴉鵲口中落了小小一枝枯枝來，我不該多事，把牠插在這兒，牠纔一年長似一

〔227〕

沫 若 詩 集

年,竟長得這麼大了,顛轉在這明淨地方,生出許多
陰影來了。

（二嫦娥抬一石斧出,授諸果老）

好了,我便斫倒牠罷。生在我手裏的,照例是死在我
手裏。你們各人去罷,等我斫倒了之後,改天再來讀
書罷!

（衆嫦娥向果老鞠躬高聲告退）

先生!我們去了。

（向左翼而退,低聲相語）

我們往廣寒宮去作霓裳羽衣舞去罷!

（再回顧果老,行一鞠躬禮）

我們看你幾時纔能够把牠斫得倒呢!

（退）

果老執斧斫樹,丁丁作聲,只見樹枝震搖,樹身永不受些兒傷影,

（落）

（一九二二年四月二日）

（223）

〔 VII 〕

徬　徨

A. 歸國吟

新　生

紫羅蘭的，

圓錐。

乳白色的，

霧帷，

黃黃地，

青青地，

地球大大地

呼吸着朝氣。

火車

高笑

向…向…

向…向…

向着黃…

向着黃…

〔230〕

新　　生

　　向着黃金的太陽

　　飛…飛…飛…

　　飛跑，

　　飛跑，

　　飛跑。

　　好！好！好！……

　　　　　（一九二一年四月一日）

〔231〕

海舟中望日出

鉛的圓空，
　　藍靛的大洋，
四望都無有，
　　只有動亂,荒涼,
黑泅泅的煤煙
　　惡魔一樣!

雲彩染了金黃，
　　還有一個爪痕露在天上。
那隻黑色的海鷗
　　可要飛向何往?

我的心兒,好像,
　　醉了一般模樣。

〔232〕

海舟中望日出

我倚着船闥，

　吐着胆漿……

哦！太陽！

　白晶晶地一個圓璫！

在那海邊天際

　黑雲頭上低昂。

我好容易纔得盼見了你的容光！

　你請替我唱着凱旋歌喲！

我今朝可算是戰勝了海洋！

　　　　　（四月三日）

〖233〗

黃浦江口

中和之鄉喲!
　我的父母之邦!
岸草那麼青翠!
　流水這般嫩黃!

我倚着船闌遠望,
　平坦的大地如像海洋,
除了一些青翠的柳波,
　全沒有山崖阻障。
小舟在波上簸颺,
　人們如在夢中一樣。
平和之鄉喲!
　我的父母之邦!

四月三日

〔234〕

上 海 印 象

我從夢中驚醒了！
　Dis-illusion的悲哀喲！

遊閑的屍，
　淫囂的肉，
長的男袍，
　短的女袖，
滿目都是骷髏，
　滿街都是靈柩，
亂闖，
　亂走。
我的眼兒淚流，
　我的心兒作嘔。

〔235〕

沫 若 詩 集

我從夢中驚醒了。

Dis-illusion的悲哀喲！

（四月四日）

〔336〕

西湖紀遊

滬杭車中

（一）

我已幾天不見夕陽了，

那天上的晚紅

不是我焦沸着的心血麼？

我本是'自然'的兒，

我要向我母懷中飛去！

（二）

亙朗的長庚

照在我故鄉的天野，

啊，我所渴仰着的西方喲！

〔237〕

沫若詩集

紫色的煤煙

散成了一朵朵的浮雲

向空中消去。

哦！這清冷的晚風！

火獄中的上海喲！

我又棄你去了。

（三）

火車向着南行，

我的心思和牠成個十字：

我一心念着我西蜀的娘，

我一心又念着我東國的兒。

我纔好像個受着磔刑的耶穌喲！

（四）

唉！我怪可憐的同胞們喲！

你們有的只拼命賭錢，

〔238〕

西　湖　紀　游

有的只拼命吸煙，

有的連傾皮酒幾杯，

有的連礫番菜幾盤，

有的只顧酣笑，

有的只顧亂談。

你們請看喲！

那幾個蕭靜的西人

一心在勘校原稿喲！

那幾個驕慢的東人

在一旁嗤笑你們喲！

啊！我的眼睛痛呀！痛呀！

要被百度以上的淚泉漲破了！

我怪可憐的同胞們喲！

（四月八日）

雷峯塔下

沫若詩集

其 一

雷峯塔下

一個鋤地的老人

脫去了上身的綿衣

掛在一旁嫩桑的枝上。

他息着鋤頭，

舉起頭來看我。

哦，他那慈和的眼光，

他那健康的黃臉，

他那斑白的鬚髯，

他那筋脈隆起的金手。

我想去跪在他的面前，

叫他一聲:'我的爹!'

把他脚上的黃泥舐個乾淨。

其 二

葵花黃，

〔240〕

西 湖 紀 游

湖草平，

楊柳毿毿，

湖中生倒影。

朝日曛，

鳥聲溫，

遠景昏昏，

夢中的幻境。

妍風輕，

天宇瑩，

雲波層層，

舟在天上行。

（四月九日）

趙 公 祠 畔

〔241〕

沫 若 詩 集

鐘聲，

鴟鳥鳴，

趙公祠畔

朝氣氤氳。

兒童的歌聲遠聞。

醉紅的新葉，

青嫩的草藤，

高標的林樹，

都含着夢中幽韻。

白堤前橫，

湖中柳影青青，

兩張明鏡！

草上的雨聲

打斷了我的寫生。

紅的草葉不知名，

〔242〕

西 湖 紀 游

摘去問問舟人。

雨打平湖點點，

舟人相接慇懃。

登舟問草名，

我纔不辨他的土音。

汲取一杯湖水，

把來當作花瓶。

三 潭 印 月

（一）

沿堤的楊柳

倒映潭心，

蒼黃，綠嫩。

不須有月來。

〔243〕

沫 若 詩 集

已自可人。

(二)

緩步潭中曲徑，
煙雨濛濛，
衣裳重了幾分。

雨 中 望 湖

（湖畔公園小御碑亭上）

雨聲這麼大了，
湖水却染成一片粉紅。
四圍昏濛的天
也都帶着醉容。

浴沐着的西子喲，
裸體的美喲！

（244）

西 湖 紀 游

我的身中……

這麼不可言說的寒懍！

哦，來了幾位寫生的姑娘，

可是，unschoen。

（四月十日）

司春的女神歌

（遊西湖歸滬杭車中作）

司春的女神來了。

提着花籃來了。

散着花兒來了。

唱着歌兒來了。

'我們催着花兒開，

我們散着花兒來，

我們的花兒

〔245〕

只許農人簪戴。'

紅的桃花，白的李花，

黃的菜花，藍的豆花.

還有許多不知名的草花。

散在樹上，散在地上，

散在農人們的田上。

沿路走，沿路唱：

'花兒也爲詩人開，

我們也爲詩人來，

如今的詩人

可惜還在吃奶。'

司春的女神去了。

提着花籃去了。

散完花兒去了。

〔246〕

西 湖 紀 游

唱着歌兒去了。

（四月十一日）

B. 彷徨之什

〔249〕

黃海中的哀歌

我本是一滴的清泉呀，
我的故鄉
本在那峨眉山上。
山風吹我，
一種無名的引力誘我，
把我引下山來·
我便流落在大渡河裏，
流落在揚子江裏，
流過巫山，
流過武漢，
流過江南，
一路滔滔不盡的潮潮
把我冲盪到海裏來了。
    浪又濁，

〔250〕

黃海中的哀歌

漩又深，

味又鹹，

臭又腥，

險惡的風波

沒有一刻的寧靜，

滔滔的濁浪

早已染透了我的深心。

我要幾時候

纔能恢復得我的清明喲？

〔251〕

仰 望

污濁的上海市頭，
乾淨的存在
只有那青青的天海！

污濁了的我的靈魂！
你看那天海中的銀濤，
流逝得那麼愉快！

一隻白色的海鷗飛來了。
污濁了的我的靈魂！
你乘着牠的翅兒飛去罷！

〔252〕

江灣即景

蟬子的聲音！

一灣溪水，
滿面浮萍。

郊原的空氣──
這樣淸新！

對岸的楊柳
搖‥搖…

白頭鳥！
十年不見了！

〔253〕

沫 若 詩 集

柳陰下，
浮着一羣鴨子呀！

〔254〕

吳淞堤上

一道長堤

隔就了兩個世界、

堤內是中世紀的風光，

堤外是未來派的血海。

可怕的血海，

混沌的血海，

白骨翻瀾的血海，

鬼哭神號的血海，

慘黃的太陽照臨着在。

這是世界末日的光景，

大陸，陸沉了麼！

〔255〕

贈　友

吳淞堤上的晚眺，

吳淞江畔的夜遊，

多情的明月與夕陽

把我的影兒

寫在水裏，印在沙上。

沙與水上的影兒

是容易消滅的，

我心眼中的一個影兒

是永不消滅的。

火星從窗外窺入，

月兒在白楊樹外偷聽，

偷聽你那麼清婉的歌音，

星與月的影兒

〔256〕

贈　友

有離去的時候，
我心耳中的一段歌聲
永沒有離去的時候。

朋友！
我讀你的詩，
我是多麽榮幸嚇！
你讀我的詩，
我又是多麽榮幸啊！
宇宙中好像只有我和你，
宇宙萬彙都有死，
我與你是永遠不死。

〔257〕

夜　別

輪船停泊在風雨之中，
你我醉意醺濃，
在暗淡的黃浦灘頭浮動。
淒寂的呀，
我兩個飄蓬！

你我都是去得傖傖，
終個是免不了的別離，
我們輾轉相送。
淒寂的呀，
我兩個飄蓬！

〔258〕

海　上

夕陽，

瞬刻萬變的霞光！

西方的那朵木星喲，

又巨，又朗！

那兒的下面

便是昨兒別了的

風吹雨打的故鄉。

故鄉！

你雖是雨打風吹，

我總覺心兒惆悵。

徬徨，徬徨，

欲圓未圓的月兒

已高高露在天上。

〔259〕

沫 若 詩 集

曠渺無際的光波！

曠渺無際的海洋！

大海平鋪，

大船直往。

我願我有限的生涯，

永在這無際之中徬徨！

〔260〕

燈 台

那時明時滅的，
那是何處的燈台？
陸地已近在眼前了嗎？
轉令我中心不快。

啊，我怕見那黑沉沉的山影，
那好像童話中的巨人！
那是不可抵抗的，
陸地已近在眼前了！

〔262〕

拘留在檢疫所中

隔海的廛肆那樣輝煌！
夜中的海色那樣迷茫！
St. Helena 上的拿翁喲，
高加索司山下的 Prometheus 喲，
你們的悲哀我知道了！

〔262〕

歸　來

遊子歸來了，

在這風雨如晦之晨，

遊子歸來了。

雖說不是，不是故鄉，

也和我，和我的故鄉一樣。

我的愛人無恙，

愛子無恙，

一切的風光無恙；

只有兒們大了！

他們畏畏縮縮地，

怕是我也老了！

可喜的成長喲，

可懼的成長喲，

大海開張在我前面！

〔263〕

沐 浴 詩 集

擁抱，擁抱，擁抱，

胸兒壓着胸，

臉兒親着臉……

（九月二十日晨）

C. Paolo 之什

〔265〕

Paolo 之 歌

好像是但丁來了：
風在哀叫，
海在怒號，
週遭的宇宙
地獄底的深牢。

"Francesca da
Ramini 喲，
你的身旁，
便是地獄裏的天堂！
我不怕淨罪山的艱險，
我不想上那地上樂園！"

[266]

Paolo 之 歌

(註)

Francesca 乃 da Polenta 之女，父字之於 Cianciotto 有勇而貌醜，其弟 Paolo 貌美，與 Francesca 相歡愛，二人爲 Cianciotto 所殺。請參看‘神曲’中‘地獄篇’之第五章。

[267]

冬　景

海水懷抱着死了的地球，
淚珠在那屍邊跳躍。
白衣女郎的雲們望空而逃，
幾隻飢鷹盤旋着飛來弔孝。

屍體中湧出的一羣勇蛆，
高興着在作戰中的兒戲；
我不知道還是該唱軍歌？
我不知道還是該唱薤露？

夕　暮

一羣白色的綿羊，
團團睡在天上，
四圍蒼老的荒山，
好像瘦獅一樣。

昂頭望着天
我替羊兒危險，
牧羊的人喲，
你爲甚麼不見？

【269】

暗　夜

天上沒有月光，

衖坊上的人家都在街上乘涼。

我右手抱着一捆柴，

左手攜着個三歲的兒子，

我向我空無人居的海屋走去。

——媽媽那兒去了呢？

——兒呀，出去幫人去了。

——媽媽幫人去了嗎？

——兒呀，出去幫人去了。

遠遠只聽着海水的哭聲

黑魆魆的松林中也有風在啜泣。

兒子不住地咿咿啞啞地哀啼……

〔270〕

暗　夜

兒子抱在我手裏，
眼淚抱在我眼裏。

春　潮

睡在岸舟中仰望雲濤，
原始的漁人們搖着船兒去了。
陽光中波湧着的松林，
都在笑說着陽春已到！

我的靈魂喲！陽春已到！
你請學着那森森的林木高標！
自由地，剛毅地，穩慎地，
高標出，向那無窮的蒼昊！

【272】

新　芽

新芽！嫩松的新芽！

比我拇指還大的新芽！

一尺以上的新芽！

你是今年春天的紀念碑呀！

生的躍進喲！春的沉醉喲！

哦，我！

我是個無機體麼？

大　鷲

西比利亞的大鷲!

你大比肥鵝而瘦,

你囚在個龐大的鐵網籠中,

籠中有一隻家兔,兩匹馴鳩!

西比利亞的大鷲!

你喙如黄銅,爪如鐵鈎,

你稜眼望着天空,

拍拍地鼓着翅兒怒吼。

西比利亞的大鷲!

你不搏家兔,不擊馴鳩,

你是聖維主義的象徵啲,

哦,西比利亞的大鷲!

〔274〕

地　震

地球復活了！
一切的存在都在動搖！
但是只有一瞬時
又歸沉靜了——

搖動後的沉靜，
死滅一般的沉靜，
陽光在向着兒們微笑，
向着驚駭了的兒們微笑。

我囘想起我的幼年，
母親說是鰲魚戾眼；
地底果有鰲魚存在嗎？
我幼時的心眼中是曾看見。

〔275〕

沫 若 詩 集

如今鰲魚死了，死了，

我知道牠在空中盤旋，

我知道是由地陷或是火山，

但是於我靈魂呀，有何益點？

〔276〕

兩個大星

嬰兒的眼睛閉了，
青天上現出了兩個大星。
嬰兒的眼睛閉了，
海邊上坐着個年少的母親。

"兒呀，你還不忙睡罷，
你看那兩個大星，
黃的黃，青的青。"

嬰兒的眼睛閉了，
青天上現出了兩個大星。
嬰兒的眼睛閉了，
海邊上站着個年少的父親。

〔277〕

沫 若 詩 集

"愛呀，你莫用喚醒他罷，

嬰兒開了眼睛時，

星星會要消去。"

石 佛

海霧漾漾，
松林清淨，
小鳥兒的歌聲，
鷄在鳴。
松林頂上，
盤旋着一隻飛鷹。

我沿着古寺徐行，
古寺內石佛一尊。
佛喲，痴人！
你出了家庭做甚？
贏得個石頭冰冷，
鎖住了你的靈魂。

〔279〕

D. 淚浪之什

〔281〕

嘆　逝、

淚眼朦朧的太陽，

愁眉不展的天宇，

可是恨冬日要別離？

可是恨青陽久不至？

岸舟中睡的那位灰色的少年，

可不是我的身體？

一卷海涅詩集的袖珍，

掩着他的面孔深深地。

海潮兒的聲音低低起，

好像是在替他欷歔，

好像是在替他訴語，

引起了他無限的情緒。

〔282〕

哎　逝

他不恨冬日要別離，

他不恨青陽久不至，

他只恨錯誤了的青春

永遠歸了過去！

（一九二〇年二月作）

淚　浪

別離了三閱月的舊居，
依然寂立在博多灣上，
中心怦怦地走向門前，
門外休息着兩三梓匠。

這是我許多思索的搖籃，
這是我許多詩歌的產床。
我忘不了那淨朗的樓頭，
我忘不了那樓頭的眺望，

我忘不了博多灣裏的明波，
我忘不了志賀島上的夕陽，
我忘不了十里松原的幽閑，
我忘不了網屋汀上的漁綱。

〔284〕

淚　浪

我和你別離了百日有奇，
又來在你的門前來往；
我禁不住我的淚浪滔滔，
我禁不住我的情濤激漲，

我禁不住走進了你的門中，
我禁不住走上了你的樓上。
哦，那兒貼過我往日的詩歌，
那兒我掛過Beethoven的肖像，

那兒我放過Millet的'牧羊少女'，
那兒我放過金字塔片兩張，
那兒我放過白華，
那兒我放過我和壽昌，

那兒放過我的書桌，

〔285〕

那兒鋪過我的寢床。

那兒堆過我的書籍，

那兒藏過我的衣箱。

如今呢只剩下四壁空空。

只剩有往日的魂痕飄漾；

唉，我禁不住淚浪的滔滔，

我禁不住情濤的激漲。

　　　　　　（一九二一年一〇月五日）

〔286〕

夕 陽 時 分

橫陳在岸上的舟中，
耽讀着Wilde的詩歌；
身旁嬉嬉地耍着的和兒，
突然地叫醒了我。

"爹爹，你看唦！
那是怎樣地綺麗唦！"
——夕陽光底的大海，
浮汎着閃爍的金波。

金波在海上推移，
海中的洲島全都蒙在霧裏，
柔和的太陽好像月輪——
好像是童話中的一個天地！

〔287〕

沫若詩集

我羨慕那帆船中的舟人，
他們是何等自由何等如意！
他們好像那勇壯的飛鷹，
兩隻橈兒便是他們的雙翅。

兒對着那些風光非常歡娛，
我的心中却隱隱有股憂難慰，
啊，可憐我橈兒斷了，翅兒折了，
只蹭蹬在一隻破了的船裏。

（一九二一年一〇月四日）

〔288〕

白　鷗

白鷗何處去了?

仿吾喲,我們別來已一年了。

去年我們兩人同歸,

在這碧海晴空

有一羣白鷗作無窮的妙舞;

今年我一人歸來

海上的白鷗却不知何處去了。

啊,海上的白鷗何處去了?

仿吾喲,我們別來已一年了。

我昨夜夢見了你呀,

夢見你的面容有些浮腫,

你該不是得了病麼?

你該不是得了心臟病麼?

〔289〕

沫 若 詩 集

啊，海上的白鷗何處去了？

(一九二二年七月二日)

哀　歌

月兒收了光，
蓮花凋謝了，
凋謝在汙濁的池中。

燕子息了歌，
琴兒絃斷了，
絃斷了枯井上的梧桐。

我便是那枯井上的梧桐，
我這一張斷絃琴
彈出一聲聲的哀弄：

丁東,琤琮,玲瓏,
一聲聲是夢。

〔29〕

沫 若 詩 集

一聲聲是空空。

（一九二二年九月二三日）

[292]

星影初現時

啊,閃爍不定的星辰啊!
你們有的是鮮紅的血痕:
有的是淨朗的淚晶——
在你們那可憐的幽光之中
含蓄了多少沉深的苦悶。

我看見一隻帶了箭的雁鵝:
啊!牠是個受了傷的勇士,
牠僵臥在這莽莽的沙場之時,
仰望着那閃閃的幽光,
也感了無窮的安慰。

眼不可見的我的師啊!
我努力地效法了你的精神:

（293）

沫 若 詩 集

把我的眼淚，把我的赤心，

編成一個易朽的珠環，

捧來在你脚下獻我惆悵。

（一九二二年一二月二四日夜）

白 玫 瑰

我的花雕酒已經喝了半分，
你的白玫瑰也接了幾次芳唇，
你甘願和我交換酒杯，
啊，我們在酒杯邊上親吻！

白玫瑰喲，你生命的靈漿，
你在同一的杯中分潤了我倆的肝腸。
炎炎的烈燄在我胸中燃燒，
你可留有刺痕在她心上？

她喝了我花雕酒罷，
調好聲息後裊裊輕歌，
啊，我嬝身榮絕頂了，
那當她還要流盼顧我！

〔295〕

沫 若 詩 集

上海是萬惡的燻宮，

姑娘喲，你是淨魔的天使，

我的孤影兒印在你的眼中，

我好像安坐在埃甸園裏。

你在花箋上寫些甚麼？

你原來寫的是一首和歌。

你畫的那個蓬蓬的面首呀，

可不是我麼？我？

姑娘呀，把你的歌兒給我罷！

她豎着指尖兒在我掌上一打 ——

我永遠忘不了的呀，

啊，你這珍貴的一打！

(一九二三年冬日作)

自　然

　自然中驕養慣了的稚兒，
　　　失却了他們的朋友，
　自入市中來，
　　　只每日地容顏消瘦；
　馬路邊尋覓着兩株地丁，
　　　好像是遇着了親人。

　自然中驕養慣了的稚兒，
　　　忘却了他們的歌笑，
　自入市中來，
　　　只每日地哀哭無聊；
　街樹上漏出了幾句蟬聲，
　　　他們便佇足而傾聽。

　　　　　　（一九二三年八月囻）

〔297〕

瘐死的春蘭

囚牢般居室的庭前，
瘐死了兩盆春蘭；
春風吹不到牠們的命根了，
只剩着槁敗的殘葉兩三。

稚兒們每日地運水灌溉，
好像是慈愛的母親哺乳嬰孩。
我咋夜得見那兩盆春蘭，
竟自青葱簇湧地甦活了轉來。

囚牢般居室的庭前，
甦活了兩盆春蘭——
我今朝快樂的幽夢醒時，
依然見槁敗的殘葉兩三！

〔298〕

厭死的春悶

（一九二三年八月間）

[299]

失巢的瓦雀

橙黃的新月如鈎，已在天心孤照，
手攜着我兩稚子在街樹之下逍遙；
雖時有涼風颭人，熱意猶未退盡，
遠從人家的牆上，露出一片的夕照如焚，

失巢的瓦雀一隻驀地從樹枝跌墜，
兩兒欣欣前進，張着兩手追隨。
小鳥曳立悲聲，撲撲地在地面飛遁，
使我心中的絃索也隱隱咽起哀鳴：

"嬌小的兒們呀，這正是我們的徵象，
我們是失却了巢穴，飄泊在這異鄉，
這冷酷的人寰，終不是我們的住所，
爲避人們的弓彈，該往那兒去躲？"

〔300〕

失巢的瓦雀

無知的兒們尚未解人生的苦趣，

仍只欣欣含笑，追着小鳥飛馳。

我也可暫時忘機，學學我的兒子，

不息的鳴蟬喲，爲甚只死呀死呀地悲啼。

（一九二三年夏秋之間作）

〖301〗